Pour Olivier
en gage d'une profonde
amitié qui peu à peu
s'affirme et se
nourrit.

Fraternellement !

Laurent Artur

31 Janvier 1986

Les Cahiers de
Malte Laurids Brigge

L'histoire que Malte Laurids Brigge relate dans ses *Cahiers* est celle d'un jeune Danois qui, au sortir d'une enfance presque légendaire dans le château ancestral. se retrouve, solitaire, à Paris et tente vainement d'y affronter les « éléments insaisissables de cette vie ». C'est Paris, en effet, qui devait réveiller une à une les angoisses intimes de Rilke, ressusciter ses peurs oubliées.

Né à Prague en 1875. A l'âge de onze ans, il est envoyé à l'école militaire de St-Pölten, puis à celle de Märisch-Weisskirchen (laquelle inspirera les Désarrois de l'élève Törless à R. Musil).
A Munich, en 1896, il rencontre Lou Andréas-Salomé qui aura une influence décisive sur sa vocation poétique. Ensemble. ils se rendent en Russie. Après la rupture avec Lou, Rilke se joint à une colonie d'artistes, à Worpswede, près de Brême, y rencontre Clara Westhoff, sculpteur, qu'il épouse et dont il aura une fille, Ruth. C'est Clara qui, à Paris, en 1902, présentera Rilke à son maître Auguste Rodin. Le couple se sépare un an plus tard. Rilke réside à Rome, voyage en Scandinavie. En 1906 il devient le secrétaire de Rodin, mais une brouille sépare les deux hommes. Il s'enthousiasme pour la peinture de Cézanne. Réconcilié avec Rodin, il recommence à voyager, en Afrique du Nord, en Espagne, puis séjourne au château de Duino (1911 et 1912) en Dalmatie, comme hôte de la princesse Marie de la Tour et Taxis. Ressortissant autrichien, il est mobilisé en 1916. Après un nouveau séjour à Paris, il se fixe au château de Muzot dans le Valais avec « Merline » (Baladine Klossowska). Atteint d'une leucémie aiguë, il meurt en 1926, à la clinique de Val-Mont.
On peut distinguer trois phases dans la carrière de Rilke. La première (1900-1906), dominée par le Livre d'heures, s'inscrit dans le contexte des rencontres et des voyages. La seconde (1906-1910) est marquée par l'élaboration des Cahiers de Malte Laurids Brigge. La troisième voit l'achèvement des Elégies de Duino et la composition des Sonnets à Orphée qui affirment la consécration définitive et universelle du poète.

Du même auteur

AUX MÊMES ÉDITIONS

ŒUVRES,
en trois volumes :

Prose

Édition établie et présentée par Paul de Man, 1966 ; réédition, 1972. Regroupe les récits de jeunesse *Au fil de la vie*, *Deux Récits pragois*, *Les Derniers*, etc.. les fragments en prose et divers essais, dont les *Lettres à un jeune poète* et l'*Auguste Rodin* Ainsi que les *Histoires du Bon Dieu* et les *Cahiers de Malte Laurids Brigge* (trad. M. Betz, L. Desportes, B. Grasset, J. Legrand, H. Zylberberg).

Poésie

Édition établie et présentée par Paul de Man, 1972. Comprend le *Livre d'images*, les *Nouveaux Poèmes*, les *Elégies de Duino*, les *Sonnets à Orphée*, le deux *Requiem*, le *Chant de l'amour et de la mort du Cornette Christophe Rilke*. Ainsi qu'un large choix du *Livre d'heures*, et le texte intégral du *Livre de la pauvreté et de la mort* (trad. M. Betz, L. Gaspar, A. Guerne, Ph. Jaccottet, J. Legrand).

Correspondance

Édition établie et annotée par Philippe Jaccottet, 1976. Renferme 236 lettres adressées, de 1900 à 1926, à une grande variété de correspondants, dont Clara Rilke, Marie de la Tour et Taxis, Auguste Rodin, « Benvenuta », « Merline », Lou Andréas-Salomé (trad. B. Briod, Ph. Jaccottet, P. Klossowski).

Lettres françaises à Merline, 1950.

Les Elégies de Duino / Les Sonnets à Orphée.
éd. bilingue, trad. A. Guerne,
collection « Points », 1972.

Rainer Maria Rilke

Les Cahiers de Malte Laurids Brigge

récit

TRADUIT DE L'ALLEMAND
PAR MAURICE BETZ

PRÉFACE DE PATRICK MODIANO

Éditions du Seuil

TEXTE INTÉGRAL.

EN COUVERTURE : photo Roger Viollet.

Titre original : *Die Aufzeichnungen des Malte Laurids Brigge.*

ISBN 2-02-005475-2.

Préface

Nous relisons les Cahiers de Malte Laurids Brigge et retrouvons Rilke derrière chaque ligne, tel que son ami Rudolf Kassner le dépeint : L'arc délicat des sourcils, des yeux du bleu le plus bleu — yeux d'enfant et de voyant —, le nez slave et fureteur, la moustache blonde... Kassner ajoute : « Rilke était poète, même quand il se lavait les mains. » Stefan Zweig a évoqué sa manière « d'étouffer ses pas et sa voix » et « la vibration qui émanait de son calme »... Nous aimons que l'œuvre d'un poète soit en totale harmonie avec lui-même, avec les traits de son visage, avec sa façon de marcher. Alors se crée un magnétisme qui défie le temps et la mort. Nous sommes sans doute injustes mais nous nous expliquons mal certains dédoublements : comment peut-on écrire Tête d'or, tout en menant une carrière diplomatique ? Être le poète d'Anabase et dans le même temps le secrétaire du Quai d'Orsay ? Quelquefois, il ne faut rien donner à César, mais tout à Dieu. Rilke, lui, n'était que Rilke.

Il nous entraîne dans son rêve d'une enfance passée au fond d'un château des bords de la Baltique qu'il nous fait visiter avec sa courtoisie d'un autre âge. Il nous montre les verreries de Bohême, les livres rares, les roses, le portrait de son amie la princesse de Thurn und Taxis et nous craignons qu'un geste trop brutal de notre part brise la bulle irisée qui nous enferme.

Jusqu'au moment où nous nous apercevons qu'un tourment habite cet univers feutré et que les Cahiers de Malte Laurids Brigge *sont le livre de la souffrance. Paris y joue un grand rôle et la découverte de cette ville a libéré chez Rilke, avec la brutalité d'une déchirure, le flot des souvenirs et des angoisses. Dans la mystérieuse tapisserie que composent les* Cahiers, *où les motifs s'entremêlent et se succèdent les paysages comme sur les pièces de dentelles que Malte déroulait avec sa mère, Paris est en arrière-plan.*

Rilke y a séjourné. Il y a connu et admiré Rodin. Il y a publié un recueil de vers français : Vergers. *Décidément, cet Autrichien, né à Prague, poète allemand mais aussi poète français, et qui poursuivit son errance à travers la Russie, l'Allemagne et l'Italie, appartient à une race éteinte : celle des grands cosmopolites, c'est-à-dire — au sens noble du terme — des Européens.*

Il fut une époque où l'on pouvait voyager à travers l'Europe sans passeport. De ce continent sans frontières, de cette Europe spirituelle, Rilke est la fleur la plus délicate. Il existe une famille de ces esprits qui, par-delà les origines et les nationalités, se groupent pour former une constellation d'étoiles que nous sommes tentés d'appeler « Constellation Rilke » puisque l'étoile Rilke y brille d'un éclat particulier.

Rilke s'est fixé un temps près de Trieste. Les lieux ont leur signification. Trieste particulièrement. Par Trieste, Rilke se rattache à Italo Svevo, à Umberto Saba, juifs de ce port cosmopolite qui s'exprimèrent en langue italienne, fils d'une ville morte comme est morte Alexandrie d'Egypte, la ville natale de trois autres poètes : l'un Grec, Cavafy, l'autre Italien, Ungaretti, le troisième Copte d'expression française : Georges Henein.

Rilke se réfugia et mourut en Suisse. La Suisse où

échouèrent le Français Romain Rolland, l'Irlandais James Joyce, les Allemands Nietzsche, Hermann Hesse et Erich Maria Remarque, l'Autrichien Robert Musil, plus tard le Russe Nabokov, si bien que ce pays fut, par la grâce de leur présence, le dernier asile de nuit de l'Europe.

Rilke repose dans un cimetière du Valais et je ne peux penser à cela sans me rappeler les pages que Thomas Mann consacre au vieux cimetière de Davos, avec ses tombes gravées de noms russes, polonais, hongrois, de noms français, de noms allemands, espagnols ou anglais, les noms de ceux qui moururent dans les sanatoriums. Et ce cimetière suisse me semble à l'image d'une Europe saccagée.

Laissons la parole à Stefan Zweig, Autrichien et Européen, comme Rilke. Il se suicida en 1942 parce qu'il ne supportait plus d'assister de loin au naufrage d'un monde. Voici ce qu'il écrit au sujet de Rilke :

« Il me paraît toujours merveilleux que nous ayons eu devant les yeux, au temps de notre jeunesse, d'aussi purs poètes. Mais je me le demande avec une secrète inquiétude : des âmes aussi totalement consacrées à l'art lyrique seront-elles possibles à notre époque, avec les conditions nouvelles de notre existence, qui arrachent les hommes à tout recueillement et les jettent hors d'eux-mêmes dans une fureur meurtrière, comme un incendie de forêt chasse les animaux de leurs profondes retraites ? »

La constellation Rilke est une constellation d'étoiles mortes mais dont nous recevons encore la lumière pourvu que nous fassions silence autour de nous et que nous fermions les yeux. Et cette lumière, nous la recevons comme une consolation, mais aussi comme un remords.

Patrick Modiano

11 septembre, rue Toullier.

C'est donc ici que les gens viennent pour vivre ? Je serais plutôt tenté de croire que l'on meurt ici. Je suis sorti. J'ai vu des hôpitaux. J'ai vu un homme qui chancelait et s'affaissa. Les gens s'assemblèrent autour de lui et m'épargnèrent ainsi la vue du reste. J'ai vu une femme enceinte. Elle se traînait lourdement le long d'un mur haut et chaud, et étendait de temps à autre les mains en tâtonnant, comme pour se convaincre qu'il était encore là. Oui, il y était encore. Et derrière lui ? Je cherchai sur mon plan : maison d'accouchement. Bien. On la délivrera, rien ne s'y oppose. Plus loin, rue Saint-Jacques, un grand bâtiment avec une coupole. Le plan indique : Val de Grâce, hôpital militaire. Je n'avais d'ailleurs pas besoin de ce renseignement, mais peu importe. La rue commença à dégager de toutes parts des odeurs. Autant que je pouvais distinguer, cela sentait l'iodoforme, la graisse de pommes frites, la peur. Toutes les villes sentent en été. Puis j'ai vu une maison singulièrement aveugle. Je ne la trouvais pas sur mon plan, mais je vis au-dessus de la porte une inscription encore assez lisible : Asile de nuit. A côté de l'entrée étaient inscrits les prix. Je les ai lus. Ce n'était pas cher.

Et puis ? J'ai vu un enfant dans une voiturette arrêtée :
il était gros, verdâtre, et avait visiblement une éruption
sur le front. Elle guérissait apparemment et ne le faisait
pas souffrir. L'enfant dormait, sa bouche était ouverte et
respirait l'iodoforme, l'odeur des pommes frites, de la
peur. C'était ainsi, voilà tout. L'important était que l'on
vécût. Oui, c'était là l'important.

Dire que je ne peux pas m'empêcher de dormir la
fenêtre ouverte ! Les tramways roulent en sonnant à
travers ma chambre Des automobiles passent sur moi.
Une porte claque Quelque part une vitre tombe en
cliquetant. J'entends le rire des grands éclats, le glousse-
ment léger des paillettes. Puis, soudain, un bruit sourd,
étouffé, de l'autre côté, à l'intérieur de la maison
Quelqu'un monte l'escalier. Approche, approche sans
arrêt. Est là, est longtemps là, passe. Et de nouveau la
rue. Une femme crie : « Ah ! tais-toi, je ne veux plus. »
Le tramway électrique accourt, tout agité, passe par-
dessus, par delà tout. Quelqu'un appelle. Des gens
courent, se rattrapent. Un chien aboie. Quel soulagement ! Un chien. Vers le matin il y a même un coq qui
chante, et c'est un délice infini. Puis, tout à coup, je
m'endors.

Cela, ce sont les bruits. Mais il y a quelque chose ici qui
est plus terrible : le silence. Je crois qu'au cours de grands
incendies il doit arriver, ainsi, parfois, un instant de
tension extrême : les jets d'eau retombent, les pompiers
ne montent plus à l'échelle, personne ne bouge. Sans

bruit, une corniche noire s'avance, là-haut, et un grand mur derrière lequel le feu jaillit s'incline sans bruit. Tout le monde est immobile et attend, les épaules levées, le visage contracté sur les yeux, le terrible coup. Tel est ici le silence.

J'apprends à voir. Je ne sais pas pourquoi, tout pénètre en moi plus profondément, et ne demeure pas où. jusqu'ici, cela prenait toujours fin. J'ai un intérieur que j'ignorais. Tout y va désormais. Je ne sais pas ce qui s'y passe.

Aujourd'hui, en écrivant une lettre, j'ai été frappé du fait que je ne suis ici que depuis trois semaines. Trois semaines, ailleurs, à la campagne par exemple, cela semblait un jour, ici ce sont des années. Du reste je ne veux plus écrire de lettres. A quoi bon dire à quelqu'un que je change ? Si je change, je ne suis plus celui que j'étais, et si je suis autre que je n'étais, il est évident que je n'ai plus de relations. Et je ne peux pourtant pas écrire à des étrangers, à des gens qui ne me connaissent pas !

L'ai-je déjà dit ! J'apprends à voir. Oui, je commence. Cela va encore mal. Mais je veux employer mon temps.

Je songe par exemple que jamais encore je n'avais pris conscience du nombre de visages qu'il y a. Il y a beaucoup de gens, mais encore plus de visages, car chacun en a plusieurs. Voici des gens qui portent un visage pendant des années. Il s'use naturellement, se salit, éclate, se ride, s'élargit comme des gants qu'on a portés en voyage. Ce sont des gens simples, économes ; ils n'en changent pas, ils ne le font même pas nettoyer. Il leur suffit, disent-ils, et qui leur prouvera le contraire ? Sans doute, puisqu'ils ont plusieurs visages, peut-on se demander ce qu'ils font des autres. Ils les conservent. Leurs enfants les porteront. Il arrive aussi que leurs chiens les mettent. Pourquoi pas ? Un visage est un visage.

D'autres gens changent de visage avec une rapidité inquiétante. Ils essaient l'un après l'autre, et les usent. Il leur semble qu'ils doivent en avoir pour toujours, mais ils ont à peine atteint la quarantaine que voici déjà le dernier. Cette découverte comporte, bien entendu, son tragique. Ils ne sont pas habitués à ménager des visages ; le dernier est usé après huit jours, troué par endroits, mince comme du papier, et puis, peu à peu, apparaît alors la doublure, le *non-visage*, et ils sortent avec lui.

Mais la femme, la femme : elle était tout entière tombée en elle-même, en avant, dans ses mains. C'était à l'angle de la rue Notre-Dame-des-Champs. Dès que je la vis, je me mis à marcher doucement. Quand de pauvres gens réfléchissent, on ne doit pas les déranger. Peut-être finiront-ils encore par trouver ce qu'ils cherchent.

La rue était vide ; son vide s'ennuyait, retirait mon pas de sous mes pieds et claquait avec lui, de l'autre côté de la rue, comme avec un sabot. La femme s'effraya, s'arracha d'elle-même. Trop vite, trop violemment, de sorte que son visage resta dans ses deux mains. Je pouvais l'y voir, y voir sa forme creuse. Cela me coûta un effort inouï de rester à ces mains, de ne pas regarder ce qui s'en était dépouillé. Je frémissais de voir ainsi un visage du dedans, mais j'avais encore bien plus peur de la tête nue, écorchée, sans visage.

J'ai peur Il faut faire quelque chose contre la peur, quand elle vous tient. Ce serait trop terrible de tomber malade ici, et si quelqu'un s'avisait de me faire porter à l'Hôtel-Dieu, j'y mourrais certainement. C'est un hôtel bien agréable, très fréquenté On peut à peine regarder la façade de Notre-Dame de Paris sans courir le danger de se faire écraser, par l'une des nombreuses voitures qui traversent le parvis, le plus vite possible, pour pénétrer là-dedans. Petits omnibus qui sonnent sans discontinuer Le duc de Sagan lui-même devrait faire arrêter son équipage, pour peu que l'un de ces petits mourants se fût mis en tête d'entrer tout droit dans l'hôtel de Dieu. Les mourants sont têtus, et tout Paris ralentit quand Mme Legrand, brocanteuse de la rue des Martyrs, s'en vient en voiture vers certaine place de la Cité Il est à remarquer que ces petites voitures endiablées ont des vitres opaques terriblement intrigantes, derrière lesquelles on peut se représenter les plus belles agonies, la fantaisie d'une concierge y suffit Que si l'on a plus d'imagination, et qu'on la laisse se développer dans d'autres directions, le champ des suppositions devient véritablement illimité Mais j'ai vu arriver aussi des fiacres ouverts, des voitures de place à l'heure, la capote levée, qui roulaient au tarif habituel : à deux francs l'heure d'agonie

Cet excellent hôtel est très ancien Déjà à l'époque du roi Clovis on y mourait dans quelques lits. A présent on y meurt dans cinq cent cinquante-neuf lits. En série, bien entendu. Il est évident qu'en raison d'une production aussi intense, chaque mort individuelle n'est pas aussi bien exécutée, mais d'ailleurs cela importe peu. C'est le nombre qui compte. Qui attache encore du prix à une mort bien exécutée ? Personne Même les riches, qui pourraient cependant s'offrir ce luxe, ont cessé de s'en soucier ; le désir d'avoir sa mort à soi devient de plus en

plus rare. Quelque temps encore, et il deviendra aussi
rare qu'une vie personnelle. C'est que, mon Dieu, tout
est là. On arrive, on trouve une existence toute prête, on
n'a plus qu'à la revêtir. On veut repartir, ou bien l'on est
forcé de s'en aller : surtout pas d'effort ! Voilà votre
mort, monsieur. On meurt tant bien que mal, on meurt de
la mort qui fait partie de la maladie dont on souffre. (Car
depuis qu'on connaît toutes les maladies, on sait parfaitement que les différentes issues mortelles dépendent des
maladies, et non des hommes ; et le malade n'a pour ainsi
dire plus rien à faire.)

Dans les sanatoriums, où l'on meurt si volontiers et
avec tant de reconnaissance pour les médecins et les
infirmières, on meurt habituellement d'une des morts qui
sont attachées à la maison ; c'est très bien considéré.
Quand on meurt chez soi, il est naturel qu'on choisisse
cette mort polie de la bonne société par laquelle on
inaugure déjà en quelque sorte un enterrement de
première classe et toute la suite de ses admirables
traditions. Les pauvres s'arrêtent alors devant ces maisons et se rassasient de ces spectacles. Leur mort à eux
est, bien entendu, banale, sans le moindre embarras. Ils
sont heureux d'en trouver une qui leur aille à peu près.
Elle peut être trop large : on grandit toujours encore un
peu. Ce n'est que lorsqu'elle ne se ferme pas sur la
poitrine ou qu'elle vous étrangle, qu'on a de la peine.

Quand je repense à *chez nous* (où il n'y a plus personne
à présent), il me semble toujours qu'il a dû en être
autrement, jadis. Jadis, l'on savait — ou peut-être s'en
doutait-on seulement — que l'on contenait sa mort
comme le fruit son noyau. Les enfants en avaient une

petite, les adultes. une grande. Les femmes la portaient dans leur sein, les hommes dans leur poitrine. On l'avait bien, sa mort, et cette conscience vous donnait une dignité singulière, une silencieuse fierté.

Mon grand-père encore, le vieux chambellan Brigge, portait — cela se voyait — sa mort en lui. Et quelle mort ! Longue de deux mois et si éclatante, qu'on l'entendait jusque dans la métairie.

La vieille et longue maison de maître était trop petite pour contenir cette mort : il semblait qu'on dût y ajouter des ailes, car le corps du chambellan grandissait de plus en plus : il voulait être porté sans cesse d'une pièce à l'autre, et éclatait en des colères terribles lorsqu'il n'y avait plus de salle où le porter, et que le jour ne touchait pas encore à sa fin. Alors il fallait, avec toute la suite de domestiques, de femmes de chambre et de chiens qu'il avait toujours autour de lui, le porter en haut de l'escalier, et, en laissant le pas à l'intendant, on envahissait la chambre mortuaire de sa très sainte mère. conservée exactement dans l'état en lequel la morte l'avait, depuis vingt-trois ans, quittée, et où personne n'avait jamais pénétré

Mais toute la meute à présent y faisait irruption. On tirait les rideaux, et la lumière robuste d'une après-midi d'été examinait tous ces objets timides et effarouchés. et tournait maladroitement dans les glaces brusquement rouvertes Et les gens n'en prenaient pas moins à leur aise. Il y avait des soubrettes qui. à force de curiosité. ne savaient plus où s'attardaient leurs mains. de jeunes domestiques qui ouvraient de grands yeux sur tout. et d'autres, plus vieux. qui allaient et venaient, et essayaient de se rappeler ce qu'on leur avait raconté de cette chambre close. où ils avaient enfin aujourd'hui le bonheur de pénétrer

Mais c'est aux chiens surtout que le séjour dans une chambre, où tous les objets portaient une odeur, semblait singulièrement attachant. Les grands et minces lévriers russes circulaient d'un air très absorbé derrière les fauteuils, traversaient la pièce d'un pas de danse allongé, avec une légère ondulation, se dressaient comme des chiens héraldiques, et, leurs pattes fines posées sur l'accoudoir d'une blancheur dorée, le front tiré et le museau attentif, regardaient à gauche et à droite dans la cour. De petits bassets couleur de gants jaunes, l'air indifférent comme si tout était normal, étaient assis dans le large fauteuil de soie auprès de la fenêtre, et un chien d'arrêt rubican, à l'air grondeur, en se frottant le dos à l'arête d'un guéridon aux pieds dorés, faisait trembler des tasses de Sèvres sur la table peinte.

Oui, ce fut une époque terrible pour ces objets distraits et somnolents. Il arrivait que des pétales de rose, qui s'étaient échappés d'un vol incertain, avec une hâte maladroite, fussent piétinés ; on empoignait de petits, de faibles objets, qu'on replaçait vite parce qu'ils se brisaient aussitôt ; on en cachait d'autres, abîmés, sous les rideaux, ou encore derrière le treillis doré du pare-étincelles. Et de temps à autre quelque chose tombait d'une chute étouffée par le tapis, tombait avec un bruit clair sur le parquet dur, éclatait, se brisait ici et là, ou se rompait presque sans bruit, car ces objets, gâtés comme ils l'étaient, ne supportaient aucune chute.

Et si quelqu'un s'était avisé de demander quelle était la cause de tout cela, et qui avait appelé sur cette chambre, longtemps surveillée avec inquiétude, tout l'effroi de la destruction, il n'y aurait eu à cette question qu'une réponse : la Mort.

La mort du chambellan Christoph Detlev Brigge à Ulsgaard. Car il était étendu, débordant largement de son uniforme bleu foncé, sur le plancher, au milieu de la chambre, et ne bougeait plus. Dans son grand visage étranger que personne ne reconnaissait, les yeux s'étaient fermés ; il ne voyait plus ce qui arrivait. On avait d'abord essayé de l'étendre sur le lit, mais il s'en était défendu, car il détestait les lits depuis ces premières nuits où son mal avait grandi. Le lit d'ailleurs s'était montré trop court, et il n'était resté d'autre ressource que de le coucher ainsi sur le tapis ; car il n'avait plus voulu redescendre.

Et voici qu'il était étendu, et qu'on pouvait croire qu'il était mort. Comme il commençait à faire nuit, les chiens s'étaient, l'un après l'autre, retirés par la porte entre-bâillée ; seul le rubican à la tête maussade était assis auprès de son maître, et l'une de ses larges pattes de devant, au poil touffu, était posée sur la grande main grise de Christoph Detlev. Les domestiques, pour la plupart, étaient dehors, dans le couloir blanc qui était plus clair que la chambre ; mais ceux qui étaient restés à l'intérieur, regardaient parfois à la dérobée vers ce grand tas sombre, au milieu de la chambre, et désiraient qu'il ne fût plus qu'un grand vêtement sur une chose corrompue.

Mais il restait autre chose. Il y restait une voix, cette voix que sept semaines auparavant personne ne connaissait encore ; car ce n'était pas la voix du chambellan. Ce n'était pas à Christoph Detlev qu'appartenait cette voix, mais à la mort de Christoph Detlev.

La mort de Christoph Detlev vivait à présent à Ulsgaard, depuis déjà de longs, de très longs jours, et parlait à tous, et demandait. Demandait à être portée, demandait la chambre bleue, demandait le petit salon, demandait la grande salle. Demandait les chiens, demandait qu'on rît, qu'on parlât, qu'on jouât, qu'on se tût, et tout à la fois. Demandait à voir des amis, des femmes et des morts, et demandait à mourir elle-même : demandait. Demandait et criait.

Car, lorsque la nuit était venue et que, fatigués, ceux des domestiques qui ne devaient pas veiller essayaient de s'endormir, alors s'élevait le cri de la mort de Christoph Detlev ; il criait et gémissait, il hurlait si longtemps et si continûment que les chiens, qui d'abord avaient hurlé avec lui, finissaient par se taire et n'osaient plus se coucher, et, debout sur leurs hautes et fines pattes tremblantes, avaient peur. Et, lorsque au village ils entendaient, par cette nuit d'été danoise, par cette pure et immense nuit d'argent, que cette mort hurlait, ils se levaient comme par un orage, s'habillaient et, sans mot dire, restaient assis autour de la lampe, jusqu'au bout. Et l'on reléguait dans les chambres les plus reculées, et dans les alcôves les plus profondes, les femmes qui étaient près d'accoucher ; mais elles l'entendaient, elles l'entendaient quand même, comme si elle eût crié dans leur propre corps, et elles suppliaient qu'on les laissât aussi se lever, et elles arrivaient, volumineuses et blanches, et s'asseyaient parmi les autres, avec leurs visages aux traits effacés. Et les vaches qui vêlaient en ce temps, étaient impuissantes et misérables, et l'on dut arracher à l'une le fruit mort avec toutes les entrailles, lorsqu'il ne voulut pas venir. Et tous accomplissaient mal leur besogne, et oubliaient de ramener le foin parce qu'ils passaient le jour à avoir peur de la nuit et que, à force de veiller et de se lever en sursaut, ils étaient si fatigués qu'ils ne pouvaient plus se souvenir de rien. Et lorsque le dimanche ils allaient à l'église blanche et calme, ils demandaient dans leurs prières qu'il n'y eût plus de seigneur à Ulsgaard : car celui-ci était un seigneur terrible. Et ce que tous pensaient et priaient, le pasteur le disait à pleine voix du haut de la chaire, car lui aussi n'avait plus de nuits et ne comprenait plus Dieu. Et la cloche le répétait, car elle avait trouvé une terrible rivale, qui résonnait toute la nuit et contre laquelle, quand elle sonnait même de tout son métal, elle ne pouvait rien. Oui, tous le disaient, et parmi les jeunes gens il y en avait un qui avait rêvé qu'il était allé au château et qu'il avait tué le maître d'un coup de sa fourche, et l'on était si révolté, si remué, que tous écoutèrent lorsqu'il raconta son rêve et, sans même s'en douter, tous le regardèrent pour voir s'il était vraiment capable d'un tel exploit. C'est ainsi que l'on sentait et que l'on parlait dans toute la région où, quelques semaines plus tôt, on avait encore aimé et plaint le chambellan. Mais bien qu'on parlât ainsi, rien ne changeait. La mort de Christoph Detlev qui habitait Ulsgaard ne se laissait pas presser. Elle était venue pour dix semaines et elle resta les dix semaines bien comptées. Et pendant ce temps elle était la maîtresse, plus que Christoph Detlev n'avait jamais été le maître ; elle était pareille à une reine qu'on appelle *la Terrible*, plus tard et toujours.

Ce n'était pas la mort du premier hydropique venu, c'était une mort terrible et impériale, que le chambellan avait portée en lui, et nourrie de lui, toute sa vie durant. Tout l'excès de superbe, de volonté et d'autorité que, même pendant ses jours les plus calmes, il n'avait pas pu user, était passé dans sa mort, dans cette mort qui à présent s'était logée à Ulsgaard et galvaudait.

Comment le chambellan Brigge eût-il regardé quiconque lui eût demandé de mourir d'une mort autre que celle-là ? Il mourut de sa dure mort.

Et lorsque je pense aux autres que j'ai vus ou dont j'ai entendu parler : c'est toujours la même chose. Tous ont eu leur mort à eux. Ces hommes qui la portaient dans leur armure, à l'intérieur d'eux, comme un prisonnier : ces femmes qui devenaient très vieilles et petites, et avaient un trépas discret et seigneurial sur un immense lit, comme sur une scène, devant toute la famille, la domesticité et les chiens rassemblés. Oui, les enfants même, jusqu'aux tout petits, n'avaient pas une quelconque mort d'enfants ; ils se rassemblaient et mouraient selon ce qu'ils étaient et selon ce qu'ils seraient devenus.

Et de quelle mélancolique douceur était la beauté des femmes lorsqu'elles étaient enceintes, et debout, et que leur grand ventre sur lequel, malgré elles, reposaient leurs longues mains, contenait deux fruits : un enfant et une mort ! Leur sourire épais, presque nourricier dans leur visage si vidé, ne provenait-il pas de ce qu'elles croyaient quelquefois sentir croître en elles l'un et l'autre ?

J'ai fait quelque chose contre la peur. Je suis resté assis toute la nuit et j'ai écrit. A présent je suis aussi fatigué qu'après un long chemin à travers les champs d'Ulsgaard. Il m'est pourtant douloureux de penser que tout cela n'est plus, que des étrangers habitent cette vieille et longue maison de maître. Il est possible que dans la chambre blanche, en haut, sous le pignon, les bonnes dorment à présent, dorment de leur sommeil pesant, humide, du soir jusqu'au matin.

Et l'on n'a rien ni personne, et l'on voyage à travers le monde avec sa malle et une caisse de livres, et en somme sans curiosité. Quelle vie est-ce donc ? Sans maison, sans objets hérités, sans chiens. Si du moins l'on avait des souvenirs ! Mais qui en a ? Si l'enfance était là : elle est comme ensevelie. Peut-être faut-il être vieux pour pouvoir tout atteindre. Je pense qu'il doit être bon d'être vieux.

Aujourd'hui nous avons eu une belle matinée d'automne. Je traversais les Tuileries. Tout ce qui était à l'est, en avant du soleil, éblouissait. La partie éclairée était recouverte d'un brouillard, comme d'un rideau gris de lumière. Grises dans la grisaille, les statues se chauffaient au soleil, dans les jardins encore voilés. Quelques fleurs isolées se levaient des longs parterres et disaient : Rouge, d'une voix effrayée. Puis un homme, très grand et très svelte, parut, tournant l'angle, du côté des Champs-Élysées ; il portait une béquille — non pas glissée sous l'épaule, — il la portait devant lui, légèrement, et de temps à autre la posait à terre, avec force et avec bruit, comme un caducée. Il ne pouvait réprimer un sourire joyeux, et souriait, par-delà tout, au soleil, aux arbres. Son pas était timide comme celui d'un enfant, mais d'une légèreté inaccoutumée, plein du souvenir d'une autre démarche.

Ah ! l'effet d'une petite lune ! Jours où tout est clair autour de nous, à peine esquissé dans l'air lumineux et cependant distinct. Les objets les plus proches ont des tonalités lointaines, sont reculés, montrés seulement de loin, non pas livrés ; et tout ce qui est en rapport avec l'étendue — le fleuve, les ponts, les longues rues et les places qui se dépensent — a pris cette étendue derrière soi, et est peint sur elle comme sur un tissu soyeux. Il n'est

pas possible de dire ce que peut être alors une voiture
d'un vert lumineux, sur le Pont-Neuf, ou ce rouge si vif
qu'on ne pourrait pas l'étouffer, ou même simplement
cette affiche, sur le mur mitoyen d'un groupe de maisons
gris-perle. Tout est simplifié, ramené à quelques plans
justes et clairs, comme le visage dans les portraits de
Manet. Rien n'est insignifiant ou inutile. Les bouquinistes
du quai ouvrent leurs boîtes, et le jaune frais ou fatigué
des livres, le brun violet des reliures, le vert plus étendu
d'un album, tout concorde, compte, tout prend part et
concourt à une parfaite plénitude.

J'ai vu dans la rue l'assemblage suivant : une petite
charrette à bras, poussée par une femme ; sur le devant
est posé en longueur un orgue de Barbarie ; en travers,
sur l'arrière, un panier où un tout petit enfant, solidement
planté sur ses jambes, a l'air tout joyeux sous son bonnet,
et ne veut pas se laisser asseoir. De temps en temps, la
femme tourne la manivelle. Le petit se lève aussitôt en
piétinant dans son panier et une petite fille dans sa robe
verte des dimanches danse et bat du tambourin en
l'élevant vers les fenêtres.

Je crois que je devrais commencer à travailler un peu, à
présent que j'apprends à voir. J'ai vingt-huit ans et il n'est
pour ainsi dire rien arrivé. Reprenons : j'ai écrit une
étude sur *Carpaccio* qui est mauvaise, un drame intitulé
Mariage qui veut démontrer une thèse fausse par des
moyens équivoques, et des vers. Oui, mais des vers
signifient si peu de chose quand on les a écrits jeune ! On

devrait attendre et butiner toute une vie durant, si possible une longue vie durant ; et puis enfin, très tard, peut-être saurait-on écrire les dix lignes qui seraient bonnes. Car les vers ne sont pas, comme certains croient, des sentiments (on les a toujours assez tôt), ce sont des expériences. Pour écrire un seul vers, il faut avoir vu beaucoup de villes, d'hommes et de choses, il faut connaître les animaux, il faut sentir comment volent les oiseaux et savoir quel mouvement font les petites fleurs en s'ouvrant le matin. Il faut pouvoir repenser à des chemins dans des régions inconnues, à des rencontres inattendues, à des départs que l'on voyait longtemps approcher, à des jours d'enfance dont le mystère ne s'est pas encore éclairci, à ses parents qu'il fallait qu'on froissât lorsqu'ils vous apportaient une joie et qu'on ne la comprenait pas (c'était une joie faite pour un autre), à des maladies d'enfance qui commençaient si singulièrement, par tant de profondes et graves transformations, à des jours passés dans des chambres calmes et contenues, à des matins au bord de la mer, à la mer elle-même, à des mers, à des nuits de voyage qui frémissaient très haut et volaient avec toutes les étoiles, — et il ne suffit même pas de savoir penser à tout cela. Il faut avoir des souvenirs de beaucoup de nuits d'amour, dont aucune ne ressemblait à l'autre, de cris de femmes hurlant en mal d'enfant, et de légères, de blanches, de dormantes accouchées qui se refermaient. Il faut encore avoir été auprès de mourants, être resté assis auprès de morts, dans la chambre, avec la fenêtre ouverte et les bruits qui venaient par à-coups. Et il ne suffit même pas d'avoir des souvenirs. Il faut savoir les oublier quand ils sont nombreux, et il faut avoir la grande patience d'attendre qu'ils reviennent. Car les souvenirs eux-mêmes ne sont pas encore cela. Ce n'est que lors-qu'ils deviennent en nous sang, regard, geste, lorsqu'ils n'ont plus de nom et ne se distinguent plus de nous, ce n'est qu'alors qu'il peut arriver qu'en une heure très rare, du milieu d'eux, se lève le premier mot d'un vers.

Mais tous mes vers sont nés autrement ; donc ce ne sont pas des vers. Et combien je me trompais lorsque j'écrivais mon drame ! Étais-je un imitateur ou un fou d'avoir eu besoin d'un tiers pour raconter le sort de deux êtres qui se rendaient la vie dure ? Avec quelle facilité je suis tombé dans le piège ! Et j'aurais cependant dû savoir que ce tiers qui traverse toutes les vies et les littératures, ce fantôme d'un tiers qui n'a jamais existé, n'a pas de sens et qu'on doit le nier. Il est un des prétextes de la nature qui s'efforce toujours de détourner l'attention des hommes de ses mystères les plus profonds. Il est le paravent derrière lequel se déroule un drame. Il est le vain bruit à l'entrée du silence d'un vrai conflit. On dirait en vérité que tous jusqu'ici ont jugé trop difficile de parler de ces deux dont seulement il s'agit. Le tiers, qui précisément, parce qu'il est si peu réel, reste la partie facile du problème, tous ont su le camper ; dès le commencement de leurs drames, on sent l'impatience d'en arriver à lui ; à peine peuvent-ils l'attendre. Dès qu'il est là tout va bien.

Mais quel ennui lorsqu'il se met en retard ! Rien ne peut arriver sans lui, tout s'arrête, se ralentit, attend. Oui, mais qu'arriverait-il si l'on voulait prolonger cette pause ? Voyons donc, monsieur le Dramaturge, et toi, public qui connais la vie, qu'arriverait-il s'ils étaient portés disparus : ce viveur populaire ou ce jeune homme prétentieux qui ouvre tous les mariages comme un passe-partout ? Qu'arriverait-il si par exemple le diable l'avait emporté ? Supposons-le un instant. On s'aperçoit tout à coup que les théâtres se vident d'étrange façon ; on les mure comme des trous dangereux, les mites seules titubent dans un vide que plus rien n'étaye. Les dramaturges ne jouissent plus de leurs quartiers entiers de villes. Toutes les agences d'affaires et de police cherchent pour eux dans les parties les plus reculées du monde le tiers irremplaçable qui était l'action même.

Et cependant ils vivent parmi les hommes — je ne veux pas parler de ces « tiers » — mais les deux autres sur qui tant de choses seraient à dire, sur qui l'on n'a encore rien dit, bien qu'ils souffrent et agissent et ne sachent comment s'aider.

C'est ridicule. Je suis assis dans ma petite chambre, moi, Brigge, âgé de vingt-huit ans, et qui ne suis connu de personne. Je suis assis ici et ne suis rien. Et cependant ce néant se met à penser et, à son cinquième étage, par cette grise après-midi parisienne, pense ceci :

Est-il possible, pense-t-il, qu'on n'ait encore rien vu, reconnu et dit de vivant ? Est-il possible qu'on ait eu des millénaires pour observer, réfléchir et écrire, et qu'on ait laissé passer ces millénaires comme une récréation pendant laquelle on mange sa tartine et une pomme ?

Oui, c'est possible.

Est-il possible que, malgré inventions et progrès, malgré la culture, la religion et la connaissance de l'univers, l'on soit resté à la surface de la vie ? Est-il possible que l'on ait même recouvert cette surface — qui après tout eût encore été quelque chose, — qu'on l'ait recouverte d'une étoffe indiciblement ennuyeuse, qui la fait ressembler à des meubles de salon pendant les vacances d'été ?

Oui, c'est possible.

Est-il possible que toute l'histoire de l'univers ait été mal comprise ? Est-il possible que l'image du passé soit fausse, parce qu'on a toujours parlé de ses foules comme si l'on ne racontait jamais que des réunions d'hommes, au lieu de parler de celui autour de qui ils s'assemblaient, parce qu'il était étranger ou mourant ?

Oui, c'est possible

Est-il possible que nous croyions devoir rattraper ce qui est arrivé avant que nous soyons nés ? Est-il possible qu'il faille rappeler à tous, l'un après l'autre, qu'ils sont nés des anciens, qu'ils contiennent par conséquent ce passé, et qu'ils n'ont rien à apprendre d'autres hommes qui prétendent posséder une connaissance meilleure ou différente ?

Oui, c'est possible

Est-il possible que tous ces gens connaissent parfaitement un passé qui n'a jamais existé ? Est-il possible que toutes les réalités ne soient rien pour eux ; que leur vie se déroule et ne soit attachée à rien, comme une montre oubliée dans une chambre vide ?

Oui, c'est possible

Est-il possible que l'on ne sache rien de toutes les jeunes filles qui vivent cependant ? Est-il possible que l'on dise « les femmes », « les enfants », « les garçons » et qu'on ne se doute pas, malgré toute sa culture, l'on ne se doute pas que ces mots, depuis longtemps, n'ont plus de pluriel, mais n'ont qu'infiniment de singuliers.

Oui, c'est possible

Est-il possible qu'il y ait des gens qui disent : « Dieu » et pensent que ce soit là un être qui leur est commun. Vois ces deux écoliers : l'un s'achète un couteau de poche, et son voisin, le même jour, s'en achète un identique. Et après une semaine ils se montrent leurs couteaux et il apparaît qu'il n'y a plus entre les deux qu'une lointaine ressemblance, tant a été différent le sort des deux couteaux dans les mains différentes

« Oui, dit la mère de l'un, s'il faut que vous usiez toujours tout... »

Et encore : Est-il possible qu'on croie pouvoir posséder un Dieu sans l'user ?

Oui, c'est possible.

Mais si tout cela est possible, si tout cela n'a même qu'un semblant de possibilité, mais alors il faudrait, pour l'amour de tout au monde, il faudrait que quelque chose arrivât. Le premier venu, celui qui a eu cette pensée inquiétante, doit commencer à faire quelque chose de ce qui a été négligé ; si quelconque soit-il, si peu désigné, *puisqu'il n'y a en pas d'autre*. Ce Brigge, cet étranger, ce jeune homme insignifiant devra s'asseoir et, à son cinquième étage, devra écrire, écrire jour et nuit. Oui, il devra écrire, c'est ainsi que cela finira.

J'avais alors douze ans, ou tout au plus treize. Mon père m'avait emmené à Urnekloster. Je ne sais ce qui l'avait engagé à rendre visite à son beau-père. Depuis de longues années, depuis la mort de ma mère, les deux hommes ne s'étaient plus revus, et mon père lui-même n'avait jamais été dans le vieux château où le comte Brahe ne s'était retiré que sur le tard. Je n'ai plus jamais revu par la suite cette étrange demeure qui tomba en des mains étrangères lorsque mon grand-père mourut. Telle que je la retrouve dans mon souvenir au développement enfantin, ce n'est pas un bâtiment ; elle est toute fondue et répartie en moi ; ici une pièce, là une pièce, et ici un bout de couloir qui ne relie pas ces deux pièces, mais est conservé en soi, comme un fragment. C'est ainsi que tout est répandu en moi ; les chambres, les escaliers, qui descendaient avec une lenteur si cérémonieuse, d'autres escaliers, cages étroites montant en spirale, dans l'obscurité desquelles on avançait comme le sang dans les veines ;

les chambres des tourelles, les balcons haut suspendus, les galeries inattendues où vous rejetait une petite porte ; tout cela est encore en moi et ne cessera jamais d'y être. C'est comme si l'image de cette maison était tombée en moi de hauteurs infinies et s'était brisée sur mon tréfonds.

Il me semble que je n'ai bien conservé dans mon cœur que la salle où nous avions coutume de nous rassembler pour dîner, tous les soirs à sept heures. Je n'ai jamais vu cette pièce de jour, je ne me rappelle même pas si elle avait des fenêtres et où elles donnaient. Toutes les fois que la famille entrait, les chandelles brûlaient dans les lourds candélabres, et l'on oubliait après quelques minutes le jour et tout ce qu'on avait vu au-dehors. Cette salle haute et, je suppose, voûtée, était plus forte que tout ; sa hauteur qui s'enténébrait, ses angles qui n'avaient jamais été dépouillés de leur mystère, aspiraient peu à peu hors de vous toutes les images, sans leur substituer un équivalent précis. On était assis là, comme se résolvant ; sans la moindre volonté, sans conscience, sans plaisir, sans défense. On était comme une place vide. Je me souviens que cet anéantissement commença par me causer un malaise, une sorte de mal de mer que je ne surmontai qu'en étendant la jambe jusqu'à ce que je touchasse du pied le genou de mon père qui était assis en face de moi. Ce n'est que plus tard que je fus frappé de ce qu'il semblait comprendre, ou tout au moins tolérer, ces manières singulières, bien que nous n'eussions que des rapports presque froids, qui ne rendaient pas une telle conduite explicable. C'était cependant ce contact léger qui me donnait la force de supporter ces longs repas. Puis, après une tension de quelques semaines pour les endurer, je m'étais, grâce à la faculté d'adaptation presque infinie des enfants, si bien habitué à l'étrangeté de ces réunions, qu'il ne me coûtait plus aucun effort de rester à table pendant deux heures ; à présent. elles s'écoulaient même relativement vite parce que je m'occupais à observer les convives.

Mon grand-père les appelait : « la famille » et j'entendais aussi les autres se servir de ce qualificatif très arbitraire. Car, bien que ces quatre personnes fussent liées par de lointaines parentés, elles ne formaient qu'un groupe assez disparate. L'oncle qui était assis à mon côté, était un homme vieux, dont le visage dur et brûlé portait quelques taches noires que j'appris être les suites de l'explosion d'une charge de poudre. De caractère maussade et aigri. il avait pris sa retraite comme commandant, et faisait à présent dans un recoin du château que je ne connaissais pas, des expériences d'alchimie. Il était de plus. entendis-je dire aux domestiques, en relations avec une prison d'où on lui envoyait, une ou deux fois par an, des cadavres avec lesquels il s'enfermait jour et nuit, qu'il découpait et apprêtait d'une manière mystérieuse. de telle sorte qu'ils résistaient à la putréfaction. En face de lui était la place de Mlle Mathilde Brahe. C'était une personne d'âge indéterminé, une cousine éloignée de ma mère, et l'on ne savait rien d'elle si ce n'est qu'elle entretenait une correspondance très régulière avec un spirite autrichien qui s'appelait le baron Nolde, et à qui elle était si entièrement soumise. qu'elle n'entreprenait rien sans s'assurer d'abord de son consentement et lui demander une sorte de bénédiction. Elle était alors exceptionnellement forte, d'une plénitude molle et paresseuse qui semblait avoir été déversée sans soin dans des vêtements lâches et clairs ; ses mouvements étaient las et indécis et ses yeux coulaient continuellement. Cependant il y avait en elle quelque chose qui me rappelait ma mère si frêle et si svelte. Plus je la regardais, plus je retrouvais dans son visage les traits fins et légers dont je n'avais plus,

depuis la mort de ma mère, pu me souvenir bien
nettement ; à présent seulement, depuis que je voyais
quotidiennement Mathilde Brahe, je savais quel avait été
le visage de la morte ; peut-être même le savais-je pour la
première fois. A présent seulement se composait en moi
de cent et cent détails une image de la morte, cette image
qui depuis m'accompagne partout Plus tard il m'est
apparu clairement que le visage de Mlle Brahe contenait
réellement tous les détails qui déterminaient les traits de
ma mère ; mais — comme si un visage étranger s'était
intercalé entre eux — ils étaient rompus, faussés et rien
ne les raccordait plus.

A côté de cette dame était assis le fils d'une cousine, un
jeune garçon qui avait à peu près mon âge, mais qui était
plus petit et plus délicat que moi. Son cou maigre et pâle
sortait d'une collerette plissée et disparaissait sous un
menton allongé. Ses lèvres étaient minces et étroitement
fermées, ses narines tremblaient légèrement, et un seul de
ses beaux yeux d'un brun sombre semblait mobile. Cet
œil regardait parfois de mon côté, d'un air tranquille et
attristé, cependant que l'autre restait toujours fixé sur le
même point, comme s'il était vendu et n'entrait plus en
considération.

En haut de la table était placé l'immense fauteuil qu'un
domestique (dont c'était la seule fonction) avançait à mon
grand-père, et dont le vieillard n'occupait qu'une petite
partie Il y avait des gens qui appelaient ce vieux
monsieur sourd et autoritaire : « Excellence » ou « Monsieur le Maréchal de la Cour », d'autres lui donnaient le
titre de général Et sans doute possédait-il tous ces
grades, mais il y avait si longtemps qu'il n'avait occupé de
fonctions, que ces dénominations paraissaient à peine
encore intelligibles. Il me semblait d'ailleurs qu'aucun
nom précis ne pouvait adhérer à cette personnalité parfois

si aiguë et cependant toujours si vague. Je ne pouvais jamais me décider à l'appeler grand-père, bien qu'il se montrât assez souvent aimable à mon égard et m'appelât même quelquefois à lui, en essayant de donner une intonation enjouée à mon nom. D'ailleurs, toute la famille avait à l'égard du comte une conduite faite d'un mélange de respect et de crainte. Seul le jeune Erik vivait sur un certain pied de familiarité avec le vieux maître de la maison ; son œil vivant avait parfois de rapides regards d'intelligence auxquels grand-père répondait tout aussi rapidement ; on les voyait apparaître quelquefois par de longues après-dînées au fond des galeries profondes, et l'on pouvait observer comme ils longeaient les vieux portraits sombres, la main dans la main, sans parler, se comprenant apparemment d'une autre manière.

Je passais presque toute la journée dans le parc, et dehors, dans les bois de hêtres ou sur la lande ; il y avait heureusement à Urnekloster des chiens qui m'accompagnaient ; il y avait çà et là des fermes et des métairies où je pouvais trouver du lait, du pain et des fruits, et je crois que je jouissais de ma liberté d'une façon assez insoucieuse, sans me laisser inquiéter, tout au moins pendant les semaines qui suivirent, par la pensée des rencontres que me réservait le soir. Je ne parlais presque à personne, car c'était ma joie d'être solitaire ; je n'avais que de temps à autre de courtes conversations avec les chiens : je m'entendais à merveille avec eux. La taciturnité était d'ailleurs une sorte de qualité familiale. Je la connaissais chez mon père et ne m'étonnais pas qu'on ne parlât guère pendant le dîner.

Cependant, les premiers jours qui suivirent notre arrivée, Mathilde Brahe se montra très bavarde. Elle questionnait mon père sur d'anciennes relations qu'ils avaient eues dans des villes étrangères ; elle se souvenait

d'impressions lointaines, s'attendrissait jusqu'aux larmes
en évoquant le souvenir d'amies mortes et de certain
jeune homme qui, laissait-elle entendre, l'avait aimée
sans qu'elle eût voulu répondre à son affection sans
espoir. Mon père écoutait poliment, approuvait de temps
à autre de la tête et ne donnait que les réponses
indispensables. Le comte, en haut de la table, souriait
constamment, les lèvres méprisantes : son visage paraissait plus grand que d'habitude. C'était comme s'il portait
un masque. Il prit d'ailleurs lui-même plusieurs fois la
parole, et sa voix, bien qu'elle ne s'adressât à personne et
fût très basse, pouvait cependant être entendue dans
toute la salle et tenait de la marche régulière, indifférente, d'une pendule ; le silence autour d'elle paraissait
une résonance singulière et creuse, la même pour chaque
syllabe.

Le comte Brahe croyait montrer une amabilité particulière à l'égard de mon père en lui parlant de sa femme
défunte, ma mère. Il l'appelait la comtesse Sibylle, et
toutes ses phrases se terminaient comme s'il demandait
après elle. Oui, il me semblait, je ne sais pourquoi, qu'il
s'agissait d'une toute jeune fille en blanc qui d'un instant
à l'autre pouvait entrer parmi nous. J'entendais parler sur
le même ton de « notre petite Anna-Sophie ». Et lorsque, un jour, je demandai qui était cette demoiselle que
grand-père paraissait aimer tout particulièrement, j'appris qu'il entendait désigner ainsi la fille du grand
chancelier Conrad Reventlov, l'épouse de la main gauche
de feu Frédéric IV, laquelle reposait depuis près d'un
siècle et demi à Roskilde. La succession du temps ne
jouait aucun rôle pour lui, la mort était un petit accident
qu'il ignorait complètement, les personnes qu'il avait une
fois accueillies dans sa mémoire continuaient d'y exister
et leur mort ne changeait rien à ce fait. Quelques années

plus tard, après la mort du vieillard, on racontait qu'avec le même entêtement il tenait les choses futures pour présentes. Il aurait, disait-on, entretenu un jour certaine jeune femme de ses fils, en particulier des voyages de l'un de ses fils, cependant que celle-ci, qui entrait dans le troisième mois de sa première grossesse, était assise, presque évanouie de crainte et de frayeur, à côté du vieillard qui parlait sans arrêt.

Mais il arriva que je ris. Oui, je ris très fort et ne pouvais plus me calmer. Un soir, Mathilde Brahe était absente. Le vieux serviteur, presque complètement aveugle, tendit néanmoins le plat, lorsqu'il fut arrivé à sa place. Il resta ainsi pendant quelques instants, puis il s'en alla, satisfait, dignement, comme si tout était dans l'ordre. J'avais observé cette scène, et à l'instant même où je la voyais, elle ne me sembla pas du tout drôle. Mais un instant après, lorsque j'allais justement avaler une bouchée, le rire me monta à la tête avec une rapidité telle, que j'avalai de travers et fis grand bruit. Et, bien que cette situation me fût à moi-même pénible, bien que je m'efforçasse de toutes les manières possibles au sérieux, le rire remontait toujours, par poussées, et finit par me dominer complètement. Mon père, comme pour détourner l'attention fixée sur moi, demanda de sa voix large et étouffée : « Mathilde est-elle malade ? » Le grand-père sourit à sa façon et répondit ensuite par une phrase à laquelle je ne pris pas garde, tout occupé que j'étais de moi-même, et qui disait sans doute :

« Non, mais elle veut éviter de rencontrer Christine. »

Je ne crus donc pas que ce pût être l'effet de cette phrase, lorsque mon voisin, le commandant, se leva et quitta la salle après avoir murmuré une excuse inintelligible et salué le comte. Je ne fus frappé que de le voir se retourner encore une fois derrière celui-ci et faire des

signes de tête au petit Erik, puis, à mon plus grand
étonnement, aussi à moi-même, comme pour nous enga-
ger à le suivre. J'étais tellement surpris que mon rire cessa
de m'oppresser. Au reste, je ne prêtai pas plus longtemps
attention au commandant ; il m'était désagréable, et je
remarquai d'ailleurs que le petit Erik ne s'en souciait pas
davantage. Le repas traînait, comme toujours, et l'on
était arrivé au dessert, lorsque mes regards furent saisis et
emportés par un mouvement qui se fit au fond de la salle,
dans la pénombre. Une porte que je croyais toujours
fermée et qui, m'avait-on dit, donnait sur l'entresol,
s'était ouverte peu à peu, et, tandis que je regardais avec
un sentiment tout nouveau de curiosité et de saisissement,
du trou d'ombre de cette porte sortit une dame élancée et
vêtue de clair, qui lentement s'approcha de nous. Je ne
sais si je fis un mouvement ou si je poussai un cri ; le bruit
d'une chaise renversée arracha mes regards de l'étrange
apparition, et je vis mon père qui s'était levé d'un bond et
qui, pâle comme un mort, les bras pendants, les poings
fermés, marchait vers la femme. Elle approchait de nous,
pas à pas, insensible à ce spectacle, et elle était arrivée
tout près de la place du comte, lorsque celui-ci brusquement se dressa, saisit mon père par le bras, le repoussa
vers la table et le retint, tandis que l'étrangère, lentement, avec indifférence et pas à pas, traversait l'espace
qui lui était ouvert, dans un indescriptible silence où l'on
n'entendait que le son tremblotant d'un verre, et disparaissait par une porte du mur opposé. A cet instant,
j'observai que c'était le petit Erik qui, avec une profonde
révérence, fermait la porte derrière l'étrangère.

J'étais seul resté assis à table ; je m'étais fait si lourd
dans mon siège qu'il me sembla que jamais plus je ne
pourrais me lever sans le secours de quelqu'un. Un
instant je regardai sans voir. Puis je pensai à mon père et

j'observai que le vieillard le tenait encore par le bras. Le visage de mon père était maintenant coléreux, gonflé de sang, mais le grand-père, dont les doigts pareils à une griffe blanche s'agrippaient au bras de mon père, avait son bizarre sourire de masque. Puis j'entendis qu'il disait quelque chose, syllabe par syllabe, sans que je pusse saisir le sens des mots qu'il prononçait. Cependant ils frappèrent profondément mon oreille, car voici deux ans, je les ai retrouvés un jour au fond de mon souvenir, et depuis lors je les sais. Il dit :

— Vous êtes violent, chambellan, et impoli. Que ne laissez-vous les gens aller à leurs affaires ?

— Qui est-ce ? cria mon père.

— Quelqu'un qui a bien le droit d'être ici : Christine Brahe.

Il se fit alors le même silence singulièrement ténu, et de nouveau le verre trembla. Mais soudain, mon père s'arracha d'un brusque mouvement et se précipita dehors.

Toute la nuit je l'entendis arpenter sa chambre, car moi non plus je ne pouvais pas dormir. Vers le matin, subitement, je m'éveillai pourtant d'une sorte d'assoupissement, et, avec une terreur qui me paralysa jusqu'au cœur, je vis une chose blanche assise sur mon lit. Mon désespoir finit par me donner la force de cacher ma tête sous la couverture, et de peur et de détresse j'éclatai en larmes. Je sentis une fraîcheur et une clarté sur mes yeux qui pleuraient ; je fermai les paupières sur mes larmes pour ne rien voir. Mais la voix, qui me parlait à présent de tout près, effleurait mon visage d'une tiédeur douceâtre, et je la reconnus : c'était la voix de Mlle Mathilde. Je me calmai aussitôt, mais continuai cependant à me faire consoler, même lorsque je fus tout à fait rassuré ; je sentais sans doute que cette bonté était trop douillette, mais j'en jouissais néanmoins et je croyais l'avoir méritée en quelque façon. « Tante », dis-je enfin, et j'essayais de rassembler dans son visage diffus les traits épars de ma mère :

— Tante, qui était cette dame ?

— Hélas, répondit Mlle Brahe avec un soupir qui me sembla comique, une infortunée, mon enfant, une infortunée.

Le matin du même jour j'aperçus dans une chambre quelques domestiques occupés à faire des malles. Je pensai que nous partirions et cela me parut tout naturel. Peut-être était-ce aussi l'intention de mon père. Je n'ai jamais appris ce qui le décida à rester encore à Urnekloster après cette soirée. Mais nous ne partîmes pas. Nous restâmes encore huit ou neuf semaines dans cette maison, nous supportâmes le poids de ses étrangetés et nous revîmes trois fois Christine Brahe.

Je ne savais alors rien de son histoire. Je ne savais pas qu'elle était morte depuis bien, bien longtemps, en ses deuxièmes couches, en donnant naissance à un petit garçon qui grandit à un destin douloureux et cruel — je ne savais pas qu'elle était une morte. Mais mon père le savait. Avait-il voulu, lui qui alliait un tempérament passionné à un esprit clair et logique, se contraindre à supporter cette aventure en se ressaisissant et sans interroger ? Je le vis — sans comprendre — lutter contre lui-même, et je le vis enfin se dominer.

Ce fut le soir que nous vîmes Christine Brahe pour la dernière fois. Cette fois-ci, Mlle Mathilde, elle aussi, était venue à table ; mais elle n'était pas comme d'habitude. De même que les premiers jours qui suivirent notre arrivée, elle parlait sans arrêt et sans suite, se troublant continuellement, et il y avait encore en elle une inquiétude physique qui l'obligeait à ajuster sans cesse quelque chose à ses cheveux ou à ses vêtements... jusqu'à ce qu'elle se levât subitement, avec un grand cri gémissant, et disparût.

Au même instant mes regards se tournèrent malgré moi vers certaine porte, et en effet : Christine Brahe entra. Mon voisin, le commandant, fit un mouvement violent et court qui se continua dans mon corps, mais il n'avait apparemment plus la force de se lever. Son visage, vieux, brun et taché, allait de l'un à l'autre, sa bouche était ouverte, et la langue se tordait derrière des dents gâtées ; puis, soudain, ce visage avait disparu, et sa tête grise roula sur la table, et ses bras la recouvrirent comme des morceaux, et en dessous, quelque part, apparut une main flasque, tavelée, et qui tremblait.

Et alors Christine Brahe franchit la salle, pas à pas, lentement, comme une malade, dans un silence où ne résonnait qu'un seul son pareil à un gémissement de vieux chien. A gauche du grand cygne d'argent rempli de narcisses, se glissait le grand masque du vieux comte, grimaçant un sourire gris. Il leva sa coupe de vin vers mon père. Et je vis alors mon père, à l'instant précis où Christine Brahe passait derrière son siège, saisir à son tour sa coupe, et la soulever au-dessus de la table, de la largeur d'une main, comme un objet très lourd...

Et la même nuit, nous quittâmes Urnekloster.

Bibliothèque nationale.

Je suis assis et je lis un poète. Il y a beaucoup de gens dans la salle, mais on ne les sent pas. Ils sont dans les livres. Quelquefois ils bougent entre les feuillets, comme des hommes qui dorment, et se retournent entre deux rêves. Ah ! qu'il fait bon être parmi des hommes qui

lisent ! Pourquoi ne sont-ils pas toujours ainsi ? Vous
pouvez aller à l'un et le frôler : il ne sentira rien. Vous
pouvez heurter votre voisin en vous levant et si vous vous
excusez, il fait un signe de tête du côté d'où vient votre
voix, son visage se tourne vers vous et ne vous voit pas et
ses cheveux sont pareils aux cheveux d'un homme
endormi. Que c'est bon ! Et je suis assis et j'ai un poète.
Quel destin ! Ils sont peut-être trois cents dans cette salle,
qui lisent à présent ; mais il est impossible que chacun
d'entre eux ait un poète. (Dieu sait ce qu'ils peuvent bien
lire !) Il n'existe pas trois cents poètes. Mais voyez mon
destin : Moi, peut-être le plus misérable de ces liseurs,
moi, un étranger, j'ai un poète. Bien que je sois pauvre.
Bien que mon veston que je porte tous les jours commence à s'user par endroits ; bien que mes chaussures ne
soient pas irréprochables. Sans doute, mon col est propre,
mon linge aussi, et je pourrais, tel que je suis, entrer dans
n'importe quelle confiserie, au besoin sur les grands
boulevards, et je pourrais sans crainte avancer la main
vers une assiette de gâteaux et me servir. On n'en serait
pas surpris, et nul ne songerait à me gronder et à me
chasser, car c'est encore une main de bonne compagnie,
une main qui est lavée quatre ou cinq fois par jour. Oui, il
n'y a rien sous les ongles, l'index est sans encre, et les
poignets surtout sont en parfait état. Or, nul n'ignore que
les pauvres gens ne se lavent jamais aussi haut. On peut
tirer de leur propreté certaines conclusions. Et l'on
conclut. Dans les magasins l'on conclut. Sans doute, il y a
quelques individus, sur le boulevard Saint-Michel par
exemple, ou dans la rue Racine, que mes poignets ne
tromperont pas. Ils se moquent bien de mes poignets. Ils
me regardent et ils savent. Ils savent qu'au fond je suis
des leurs, que je ne fais que jouer un peu de comédie.
N'est-ce pas carnaval ? Et ils ne veulent pas me gâter le

plaisir ; ils grimacent un peu et clignent des yeux
Personne ne l'a vu. D'ailleurs ils me traitent comme un
monsieur. Pour peu qu'il y ait quelqu'un près de nous, ils
se montrent même empressés et font comme si je portais
un manteau de fourrure, comme si ma voiture me suivait.

Quelquefois je leur donne deux sous, en tremblant
qu'ils ne les refusent ; mais ils les acceptent. Et tout serait
dans l'ordre s'ils n'avaient pas de nouveau un peu ricané
et cligné de l'œil. Qui sont ces gens ? Que me veulent-ils ?
M'attendent-ils ? Comment me reconnaissent-ils ? Il est
vrai que ma barbe a l'air un peu négligée et rappelle un
peu, un tout petit peu, leurs vieilles barbes malades et
passées qui m'ont toujours surpris. Mais n'ai-je pas le
droit de négliger ma barbe ? C'est le cas de beaucoup
d'hommes occupés, et l'on ne s'avise pas pour cela de les
compter parmi les épaves de la société. Car il est évident
que ceux-là forment le rebut et que ce ne sont pas de
simples mendiants. Non, au fond, ce ne sont pas des
mendiants, il faut distinguer. Ce sont des déchets, des
pelures d'hommes que le destin a crachées. Humides
encore de la salive du destin, ils collent à un mur, à une
lanterne, à une colonne d'affichage, ou bien ils coulent
lentement au fil de la rue en laissant une trace sombre et
sale. Que diable voulait de moi cette vieille qui, avec son
tiroir de table de nuit, où roulaient quelques boutons et
quelques aiguilles, avait surgi de je ne sais quel trou ?
Pourquoi marchait-elle toujours à mon côté et m'obser-
vait-elle ? Comme si elle essayait de me reconnaître, avec
ses yeux chassieux, ses yeux où un malade semblait avoir
craché des glaires verdâtres dans des paupières sanglan-
tes. Et pourquoi cette petite femme grise resta-t-elle
debout à côté de moi, pendant tout un quart d'heure,
devant une vitrine, en faisant glisser un long et vieux
crayon hors de ses vilaines mains fermées ? Je faisais

semblant de regarder l'étalage dont je ne voyais rien.
Mais elle savait que je l'avais vue, elle savait que j'étais
arrêté et que je me demandais ce qu'elle faisait. Car je
comprenais bien qu'il ne pouvait s'agir du crayon. Je
sentais que c'était un signe, un signe pour les initiés, un
signe que les épaves connaissent. Je devinais qu'elle
voulait me dire d'aller quelque part ou de faire quelque
chose. Et le plus étrange était que je ne pouvais perdre le
sentiment qu'il y avait réellement certaines conventions
auxquelles appartenait ce signe et que cette scène était au
fond quelque chose à quoi j'aurais dû m'attendre.

C'était il y a deux semaines. Mais depuis, plus un jour
ne se passe sans une pareille rencontre. Non seulement au
crépuscule, mais en plein midi, dans les rues populeuses,
il arrive que subitement un petit homme ou une vieille
femme est là, me fait signe, me montre quelque chose et
disparaît de nouveau. Comme si le plus nécessaire était
accompli. Il est possible qu'un beau jour ils s'avisent de
venir jusque dans ma chambre. Ils savent fort bien où
j'habite et prendront leurs dispositions pour ne pas être
arrêtés par la concierge. Mais ici, mes chers, ici je suis à
l'abri de vous. Il faut avoir une carte spéciale pour
pouvoir entrer dans cette salle. Cette carte, j'ai sur vous
l'avantage de la posséder. Je traverse les rues avec un peu
de crainte, comme bien l'on pense, mais enfin, je suis
devant une porte vitrée, je l'ouvre comme si j'étais chez
moi, je montre ma carte à la porte suivante, rapidement,
comme vous me montrez vos objets, mais avec cette
différence que l'on me comprend, que l'on sait ce que je
veux dire, et puis je suis parmi ces livres, je suis retiré de

vous comme si j'étais mort, et je suis assis et je lis un poète.

Vous ne savez pas ce que c'est qu'un poète ? Verlaine... Rien ? Pas de souvenir ? Non. Vous ne l'avez pas distingué de ceux que vous connaissiez. Vous ne faites pas de différence, je sais. Mais c'est un autre poète que je lis, un qui n'habite pas Paris, un tout autre. Un qui a une maison calme dans la montagne. Qui sonne comme une cloche dans l'air pur. Un poète heureux qui parle de sa fenêtre et des portes vitrées de sa bibliothèque, lesquelles reflètent, pensives, une profondeur animée et solitaire. C'est justement ce poète que j'aurais voulu devenir ; car il sait tant de choses sur les jeunes filles, et moi aussi j'aurais su tant de choses sur elles. Il connaît des jeunes filles qui ont vécu voici cent ans ; peu importe qu'elles soient mortes, car il sait tout. Et c'est l'essentiel. Il prononce leurs noms, ces noms légers, gracieusement étirés, avec des lettres majuscules enrubannées à l'ancienne mode, et les noms de leurs amies plus âgées où sonne déjà un peu de destin, un peu de déception et de mort. Peut-être trouverait-on dans un cahier de son secrétaire en acajou leurs lettres pâlies et les feuillets déliés de leurs journaux où sont inscrits des anniversaires, des promenades d'été, des anniversaires. Ou bien, il est possible qu'il existe au fond de la chambre à coucher, dans la commode ventrue, un tiroir où sont conservés leurs vêtements de printemps ; robes blanches qu'on mettait pour la première fois à Pâques, vêtements de tulle qui étaient plutôt des vêtements pour l'été que cependant l'on n'attendait pas encore. O sort bienheureux de qui est assis dans la chambre silencieuse d'une maison familiale, entouré d'objets calmes et sédentaires, à écouter les mésanges s'essayer dans le jardin d'un vert lumineux, et au loin l'horloge du village. Être assis et regarder une chaude traînée de soleil d'après-midi, et savoir beaucoup de choses sur les anciennes jeunes filles, et être un poète. Et dire que j'aurais pu devenir un tel poète, si j'avais pu habiter quelque part, quelque part en ce monde, dans une de ces maisons de campagne fermées où personne ne va plus. J'aurais eu besoin d'une seule chambre (la chambre claire sous le pignon). J'y aurais vécu avec mes anciennes choses, des portraits de famille, des livres. Et j'aurais eu un fauteuil, et des fleurs et des chiens, et une canne solide pour les chemins pierreux. Et rien de plus. Rien qu'un livre, relié dans un cuir jaunâtre, couleur d'ivoire, avec un ancien papier fleuri pour feuille de garde. J'y aurais écrit. J'aurais beaucoup écrit, car j'aurais eu beaucoup de pensées et des souvenirs de beaucoup de gens.

Mais la vie en a disposé autrement, Dieu sait pourquoi. Mes vieux meubles pourrissent dans une grange où l'on m'a permis de les placer, et moi-même, oui, mon Dieu, je n'ai pas de toit qui m'abrite, et il pleut dans mes yeux.

Quelquefois, je passe devant de petites boutiques : dans la rue de Seine par exemple. Ce sont des antiquaires, de petits bouquinistes ou des marchands d'eaux-fortes aux vitrines trop pleines. Jamais personne n'entre chez eux, ils ne font apparemment pas d'affaires. Mais si l'on y jette un coup d'œil, on les voit assis, toujours assis, lisant et insouciants. Ils ne songent pas au lendemain, ne s'inquiètent d'aucune réussite. Ils ont un chien qui est assis devant eux et frétille de bonne humeur, ou un chat qui agrandit le silence en se glissant le long des rangées de livres, comme s'il effaçait les noms du dos des reliures.

Ah ! si cela pouvait suffire : je voudrais quelquefois

m'acheter une de ces vitrines pleines de choses, et m'asseoir là derrière, avec un chien, pour vingt ans.

C'est bon de dire à haute voix : « Il n'est rien arrivé. » Mais quand même je le dirais, et quand je répéterais : « Il n'est rien arrivé », à quoi cela m'avancerait-il ?

Que mon poêle se soit encore mis à fumer et que j'aie dû sortir, est-ce là vraiment un malheur ? Que je me sente las et transi, est-ce de quelque importance ? Et si j'ai couru tout le jour dans les rues, c'est moi-même qui l'ai voulu. J'aurais pu aussi bien me reposer dans une salle du Louvre. Pourtant non, je crois que non. C'est qu'il y vient certaines gens pour se chauffer. Ils sont assis sur les banquettes de velours et, sur les bouches de chaleur, leurs pieds posent l'un contre l'autre comme de grandes bottes vides. Ce sont des hommes d'une extrême modestie qui savent gré à ces gardiens aux uniformes bleus constellés de décorations de seulement les tolérer. Mais si j'entre, ils grimacent. Ils grimacent et hochent la tête. Puis, si je vais et viens devant les tableaux, ils me gardent à vue et me suivent obstinément de leur œil brouillé. J'ai donc bien fait de ne pas aller au Louvre. J'ai marché sans cesse. Dieu sait combien de villes, de quartiers, de cimetières, de ponts et de passages j'ai traversés. Je ne sais où j'ai rencontré un homme qui poussait devant lui une charrette pleine de légumes. Il criait : « Chou-fleur, chou-fleur », le *fleur* avec un *eu* bizarrement trouble. A côté de lui marchait une laide et anguleuse femme qui, de temps en temps, le poussait. Et quand elle le poussait, il criait. Quelquefois aussi il criait de lui-même, mais alors son cri avait été inutile, et aussitôt il lui fallait crier de nouveau, parce qu'on passait devant la maison d'un client. Ai-je dit que cet homme était aveugle ? Non ? Eh bien, il était aveugle. Il était aveugle et il criait. J'arrange en disant cela ; j'escamote la charrette qu'il poussait ; je feins de n'avoir pas remarqué qu'il criait des choux-fleurs. Mais est-ce bien essentiel ? Et quand cela serait essentiel, n'importe-t-il pas davantage de savoir ce que j'ai vu, moi ? J'ai vu un vieil homme qui était aveugle et qui criait. Voilà ce que j'ai vu. Vu.

Croira-t-on qu'il y ait de pareilles maisons ? Non, l'on va dire encore que j'arrange. Mais cette fois, c'est la vérité ; rien d'escamoté ; bien entendu rien d'ajouté non plus. D'où le prendrais-je ? On sait que je suis pauvre. On le sait. Maisons ? Mais pour être précis, c'étaient des maisons qui n'étaient plus là. Des maisons qu'on avait démolies de haut en bas. Ce qu'il y avait, c'étaient les autres maisons, celles qui s'étaient appuyées contre les premières, les maisons voisines. Apparemment elles risquaient de s'écrouler depuis qu'on avait enlevé ce qui les étayait ; car tout un échafaudage de longues poutres goudronnées était arc-bouté entre le sol encombré de gravats et la paroi dénudée. Je ne sais pas si j'ai déjà dit que c'est de cette paroi que je parle. Ce n'était pas, à proprement parler, la première paroi des maisons subsistantes (comme on aurait pu le supposer), mais bien la dernière de celles qui n'étaient plus. On voyait sa face interne. On voyait, aux différents étages, des murs de chambres où les tentures collaient encore ; et çà et là, l'attache du plancher ou du plafond. Auprès des murs des chambres, tout au long de la paroi, subsistait encore un espace gris blanc par où s'insinuait, en des spirales vermiculaires et qui semblaient servir à quelque répugnante digestion, le conduit découvert et rouillé de la descente des cabinets. Les tuyaux de gaz avaient laissé sur les bords des plafonds des sillons gris et poussiéreux qui se repliaient çà et là, brusquement, et s'enfonçaient dans des trous noirs. Mais le plus inoubliable, c'était encore les murs eux-mêmes. Avec quelque brutalité qu'on l'eût piétinée, on n'avait pu déloger la vie opiniâtre de ces chambres. Elle y était encore ; elle se retenait aux clous qu'on avait négligé d'enlever ; elle prenait appui sur un étroit morceau de plancher ; elle s'était blottie sous ces encoignures où se formait encore un petit peu d'intimité. On la distinguait dans les couleurs que d'année en année elle avait changées, le bleu en vert chanci, le vert en gris, et le jaune en un blanc fatigué et rance. Mais on la retrouvait aussi aux places restées plus fraîches, derrière les glaces, les tableaux et les armoires ; car elle avait tracé leurs contours et avait laissé ses toiles d'araignées et sa poussière même dans ces réduits à présent découverts. On la retrouvait encore dans chaque écorchure, dans les ampoules que l'humidité avait soufflées au bas des tentures ; elle tremblait avec les lambeaux flottants et transpirait dans d'affreuses taches qui existaient depuis toujours. Et, de ces murs, jadis bleus, verts ou jaunes, qu'encadraient les reliefs des cloisons transversales abattues, émanait l'haleine de cette vie, une haleine opiniâtre, paresseuse et épaisse, qu'aucun vent n'avait encore dissipée. Là s'attardaient les soleils de midi, les exhalaisons, les maladies, d'anciennes fumées, la sueur qui filtre sous les épaules et alourdit les vêtements. Elles étaient là, l'haleine fade des bouches, l'odeur huileuse des pieds, l'aigreur des urines, la suie qui brûle, les grises buées de pommes de terre et l'infection des graisses rancies. Elle était là, la doucereuse et longue odeur des nourrissons négligés, l'angoisse des écoliers et la moiteur des lits de jeunes garçons pubères. Et tout ce qui montait en buée du gouffre de la rue, tout ce qui s'infiltrait du toit avec la pluie, qui ne tombe jamais pure sur les villes.

Et il y avait encore là bien des choses que les vents
domestiques, ces souffles faibles et apprivoisés qui ne
sortent pas de leur rue, avaient apportées, et bien des
choses aussi dont on ne savait pas l'origine. J'ai dit, n'est-
ce pas, qu'on avait démoli tous les murs, à l'exception de
ce dernier. C'est toujours de celui-ci que je parle. On va
penser que je suis resté longtemps devant ; mais je jure
que je me suis mis à courir aussitôt que je l'eus reconnu.
Car le terrible, c'est que je l'ai reconnu. Tout ce qui est ici
je le reconnais bien, et c'est pourquoi cela entre en moi
aussitôt : comme chez soi.

Après cet effort, je me sentis quelque peu épuisé, je
dirai même atteint. Aussi était-ce trop pour moi que *lui*
encore dût m'attendre. Il attendait dans la petite crémerie
où je voulais manger deux œufs sur le plat ; j'avais faim ;
j'étais resté tout le jour sans manger. Mais à présent non
plus, je ne pouvais rien prendre ; mes œufs n'étaient pas
prêts que je me sentis de nouveau poussé dans les rues qui
coulaient vers moi empoissées de gens. Car c'était le soir,
et de plus carnaval, et les gens, qui avaient du temps à
eux, flottaient et se frottaient les uns aux autres. Et leurs
visages étaient pleins de la lumière des éventaires et le
rire suintait de leurs bouches comme de blessures puru-
lentes. Ils riaient toujours plus et s'aggloméraient d'autant plus que plus impatiemment je tentais d'avancer.
J'accrochai je ne sais comment le châle d'une femme que
j'entraînai ; des gens m'arrêtèrent en riant ; et je sentais
que j'aurais dû rire, moi aussi ; mais je ne le pouvais pas.
Quelqu'un me jeta dans les yeux une poignée de confetti
qui me brûlèrent comme un coup de fouet. Aux carre-
fours les gens étaient coincés, imbriqués les uns dans les
autres. Il n'y avait plus d'avance possible, rien qu'un mol
et silencieux mouvement de va-et-vient parmi eux comme
s'ils s'accouplaient debout. Mais bien qu'ils stationnas-

sent, tandis que, contre le trottoir, à travers la déchirure
de la foule, je courais comme un fou, en vérité c'étaient
tout de même eux qui bougeaient, et moi qui restais en
place. Car rien ne changeait ; quand je levais la tête, je
continuais de voir les mêmes maisons d'un côté et, de
l'autre, les baraques. Peut-être aussi tout était-il fixe, et
n'y avait-il en moi comme en eux qu'un vertige qui
semblait faire tournoyer le tout. Mais je n'avais pas le
temps d'y réfléchir ; j'étais lourd de sueur et une douleur
étourdissante circulait en moi, comme si mon sang
charriait je ne sais quoi de trop grand qui, au passage,
distendait mes veines. Et je sentais en même temps que
l'air était épuisé depuis longtemps et qu'il ne restait plus
que des exhalaisons viciées dont mes poumons ne voulaient pas.

Mais maintenant c'est fini ; j'ai tout surmonté. Me voici
dans ma chambre, assis près de la lampe ; il fait un peu
froid, car je n'ose pas mettre le poêle à l'épreuve ; que
ferais-je s'il allait encore fumer et me chasser dans la rue ?
Je suis assis et je pense : Si je n'étais pas pauvre, je
louerais une autre chambre avec des meubles moins
fatigués, moins hantés par les précédents locataires.
D'abord, il m'en coûtait vraiment d'appuyer ma tête dans
ce fauteuil. Là, dans sa housse verte, il y a un vallonne-
ment d'un gris graisseux qui doit s'adapter à toutes les
têtes. Pendant quelque temps, j'ai pris la précaution de
mettre sous mes cheveux un mouchoir ; mais maintenant
je suis trop fatigué ; et du reste, ce petit creux semble fait
à la mesure de ma nuque. Mais si je n'étais pas pauvre, je
commencerais par m'acheter un bon poêle, et je me
chaufferais avec du fort et pur bois de montagne, au lieu
de ces pitoyables « têtes-de-moineaux » dont les émana-
tions me font le souffle si irrégulier et la tête si trouble. Et
puis, il me faudrait quelqu'un qui rangerait sans bruit et

veillerait sur le feu, comme je le désire. Car souvent, lorsque je dois rester un quart d'heure à tisonner, agenouillé contre le brasier dont le proche éclat me brûle les yeux et me rissole la peau du front, j'abandonne d'un seul coup tout ce que j'avais de force en réserve pour la journée, et quand, après, je redescends parmi les hommes, ils ont naturellement sans peine raison de moi. Parfois, quand il y aurait foule, je prendrais une voiture, je passerais à côté des piétons, je mangerais tous les jours dans un Duval... et je ne traînerais plus dans les crémeries... L'aurais-je aussi bien rencontré au Duval? Non! On ne lui aurait pas permis de m'y attendre. On n'y laisse pas entrer les moribonds. Les moribonds? A présent que je suis à l'abri dans ma chambre, je vais essayer de réfléchir tranquillement à ce qui m'est arrivé. Il est bon de ne rien laisser dans le vague. Donc j'entrai, et d'abord je vis que quelqu'un occupait la table à laquelle je m'assieds quelquefois. Je saluai dans la direction du comptoir, commandai mon repas et m'assis là, tout près. C'est alors que je le sentis soudain, bien qu'il ne bougeât pas. C'est précisément son immobilité que je sentis et que je compris tout à coup. Un courant s'était établi entre nous, et je connus qu'il était raide de terreur. Je compris que la terreur l'avait paralysé, terreur de quelque chose qui se passait en lui-même. Peut-être un vaisseau se rompait-il en lui; peut-être un poison qu'il avait longtemps redouté, pénétrait-il en ce moment précis dans le ventricule de son cœur; peut-être un grand abcès se levait-il et s'ouvrait-il dans son cerveau, comme un soleil qui lui changeait l'aspect du monde. Avec un indicible effort, je me forçai à regarder de son côté : car j'espérais encore que tout cela serait imaginaire. Mais enfin, je sursautai et me précipitai au-dehors, car je ne m'étais pas trompé. Il était assis là, dans un manteau d'hiver noir et épais, et son visage gris, convulsé, plongeait dans un cache-nez de laine. Sa bouche était close comme si un poids subit reposait sur elle, mais il n'était pas possible de dire si ses yeux voyaient encore : des lunettes embuées et grises comme de la fumée les cachaient et tremblaient un peu. Ses narines étaient distendues et sa longue chevelure se fanait sur ses tempes dévastées comme par une chaleur trop grande. Ses oreilles étaient longues, jaunes et jetaient de grandes ombres derrière elles. Oui, il savait qu'en ce moment il s'éloignait de tout ; pas seulement des hommes. Un instant encore, et tout aura perdu son sens, et cette table et cette tasse et cette chaise à laquelle il se cramponne, tout le quotidien et le proche sera devenu inintelligible, étranger et lourd. Ainsi il était assis là, et attendait que ce fût consommé. Et ne se défendait plus.

Et moi, je me défends encore. Je me défends, quoique je sache bien que déjà mon cœur est arraché, et que si même mes bourreaux maintenant me tenaient quitte, je ne pourrais quand même plus vivre. Je me dis : il n'est rien arrivé, et pourtant je n'ai pu comprendre cet homme que parce que, en moi aussi, quelque chose arrive qui commence à m'éloigner et à me séparer de tout. Combien toujours il me fut horrible d'entendre dire d'un mourant : il ne reconnaît déjà plus personne. Alors je me représente un solitaire visage qui se soulève de dessus les coussins, qui cherche n'importe quoi de connu, n'importe quoi de déjà vu, et qui ne trouve rien. Si mon angoisse n'était si grande, je me consolerais en me persuadant qu'il n'est pas impossible de voir tout d'un œil différent, et néanmoins de vivre ; mais j'ai peur, j'ai une peur indicible de cette modification. Je ne me suis même pas encore familiarisé avec ce monde qui me paraît bon. Que ferais-je dans un autre ? J'aimerais tant demeurer parmi les significations qui me sont devenues chères ! et si pourtant quelque chose doit être changé, je voudrais du moins pouvoir vivre parmi les chiens, dont le monde est parent du nôtre.

Durant quelque temps encore je vais pouvoir écrire tout cela et en témoigner. Mais le jour viendra où ma main me sera distante, et quand je lui ordonnerai d'écrire, elle tracera des mots que je n'aurai pas consentis. Le temps de l'autre explication va venir, où les mots se dénoueront, où chaque signification se défera comme un nuage et s'abattra comme de la pluie. Malgré ma peur je suis pourtant pareil à quelqu'un qui se tient devant de grandes choses, et je me souviens que, autrefois, je sentais en moi des lueurs semblables lorsque j'allais écrire. Mais cette fois-ci je serai écrit. Je suis l'impression qui va se transposer. Il ne s'en faudrait plus que de si peu, et je pourrais, ah! tout comprendre, acquiescer à tout. Un pas seulement, et ma profonde misère serait félicité. Mais ce pas, je ne puis le faire; je suis tombé et ne puis plus me relever, parce que je suis brisé. Jusqu'ici j'ai cru que je pourrais voir venir un secours. Voici devant moi, de ma propre écriture, ce que j'ai prié, soir par soir. Des livres où je l'ai trouvé, j'ai transcrit cela, pour que cela me fût tout proche, pour que cela fût issu de ma main, comme jailli de moi-même. Et maintenant je veux le copier encore une fois, ici, devant ma table, à genoux, je veux l'écrire, car ainsi je le tiens en moi plus longtemps qu'à le lire, et chaque mot prend de la durée et a le temps de retentir.

« Mécontent de tous et mécontent de moi-même, je voudrais bien me racheter et m'enorgueillir un peu dans le silence et la solitude de la nuit. Ames de ceux que j'ai aimés, âmes de ceux que j'ai chantés, fortifiez-moi, soutenez-moi, éloignez de moi le mensonge et les vapeurs corruptrices du monde; et vous, Seigneur mon Dieu! accordez-moi la grâce de produire quelques beaux vers

qui me prouvent à moi-même que je ne suis pas le dernier
des hommes, que je ne suis pas inférieur à ceux que je
méprise. »

« *C'étaient des gens de néant, des gens sans nom
abaissés plus bas que la terre. Voici que je suis pour eux un
objet de risée et le sujet de leur chanson...*

« *Ils ont rompu mon sentier et pour augmenter mon
affliction ils n'ont besoin du secours de personne...*

« *Maintenant mon âme se fond en moi...*

« *Des frayeurs la poursuivent comme un vent, ma
délivrance est passée comme une nuée, la nuit me perce l'os
et mes veines ne prennent point de repos.*

« *Mon vêtement a changé de couleur par la violence de
mon mal ; il se colle à mon corps et m'enserre comme
l'ouverture de ma robe...*

« *Les jours d'affliction m'ont surpris, je ressemble à la
poussière et à la cendre...*

« *Ma harpe n'est plus qu'une plainte et le son de ma
flûte, un sanglot.* »

Le médecin ne m'a pas compris. Il n'a rien compris.
Sans doute était-ce difficile à expliquer. On décida qu'il
fallait essayer de m'électriser. Bien. On me remit une
fiche : je devais me trouver à une heure à la Salpêtrière.
J'y fus. Je dus d'abord passer devant une longue file de
baraques et traverser plusieurs cours où des gens, que
leurs bonnets blancs faisaient semblables à des forçats,
stationnaient sous les arbres vides. Enfin je pénétrai dans
une longue pièce sombre qui avait l'apparence d'un
couloir et prenait tout son jour d'un côté, par quatre
fenêtres d'un verre double et verdâtre, dont l'une était
séparée de l'autre par un pan de mur large et noir. Un

banc de bois les longeait, et sur ce banc *ils* étaient assis,
eux, tous ceux qui me connaissaient, et attendaient. Oui,
ils étaient tous là. Lorsque je me fus habitué au demi-jour
de la pièce, je remarquai cependant qu'il y avait aussi,
dans cette file interminable de gens assis, quelques autres
personnes, de petites gens, des artisans, des servantes et
des camionneurs. Du côté étroit du couloir, sur des
chaises particulières, deux grosses femmes s'étaient éta-
lées et s'entretenaient : des concierges sans doute. Je
regardai l'heure ; il était une heure moins cinq. Dans cinq,
mettons dans dix minutes, mon tour devait venir ; ce
n'était donc pas si terrible. L'air était mauvais, lourd,
plein de vêtements et d'haleines. A un certain endroit, la
fraîcheur forte et croissante de l'éther pénétrait par la
fente d'une porte. Je commençai à aller et venir. Je
songeai tout à coup que l'on m'avait envoyé ici, parmi ces
gens, à cette consultation publique, surpeuplée. Cela me
confirmait en quelque sorte pour la première fois officiel-
lement que je faisais partie de ces épaves. Le médecin
l'avait-il lu sur ma figure ? Pourtant je lui avais rendu
visite dans un costume assez convenable, je lui avais
même fait passer ma carte. Et malgré cela... Sans doute
l'avait-il appris quelque part, ou peut-être m'étais-je trahi
moi-même. Allons, puisque c'était un fait accompli,
je ne m'en trouvais somme toute pas trop mal. Tous ces
gens étaient assis là, bien sagement, et ne s'occupaient
pas de moi. Quelques-uns éprouvaient des douleurs et
remuaient un peu une jambe, pour les mieux supporter.
Plusieurs hommes avaient posé leur tête sur la paume de
leurs mains, d'autres dormaient profondément, avec des
visages lourds, comme enfouis sous l'éboulement du
sommeil. Un gros homme, au cou rouge et enflé, était
penché en avant, regardait fixement par terre et laissait
tomber de temps en temps en un point qui lui paraissait

sans doute convenir particulièrement à cet exercice, un crachat qui claquait sur le parquet. Un enfant sanglotait dans un coin ; il avait tiré à lui, sur le banc, ses longues jambes maigres, et il les tenait à présent embrassées, étroitement serrées contre lui, comme si on avait voulu l'en séparer. Une petite femme pâle, un chapeau de crêpe, orné de fleurs rondes et noires, posé de travers sur ses cheveux, avait la grimace d'un sourire autour de ses lèvres misérables, mais ses paupières blessées débordaient sans cesse. On avait assis non loin d'elle une fillette, au visage rond et lisse, dont les yeux inexpressifs sortaient des orbites ; sa bouche était ouverte de sorte que l'on voyait les gencives blanches, saliveuses, avec les vieilles dents atrophiées. Et il y avait beaucoup de pansements. Des pansements qui entouraient de leurs bandeaux, couche par couche, toute une tête, jusqu'à ne laisser voir qu'un œil qui n'appartenait plus à personne. Des pansements qui dissimulaient et des pansements qui laissaient voir ce qui se trouvait en dessous. Des pansements qu'on avait ouverts où était étendue à présent, comme dans un lit sale, une main qui n'était plus une main ; et une jambe emmaillotée qui sortait du rang, grande comme un homme tout entier. J'allais et je venais et m'efforçais d'être calme. Je m'occupais beaucoup du mur d'en face. Je remarquai qu'il encadrait un certain nombre de portes à un battant et qu'il n'atteignait pas le plafond, de sorte que ce couloir n'était pas complètement séparé des pièces qui devaient se trouver à côté. Je regardai ensuite ma montre : j'avais arpenté la salle d'attente pendant une heure. Quelques instants après vinrent les médecins. D'abord quelques jeunes gens qui passèrent avec des visages indifférents, enfin celui chez lequel j'avais été, en gants clairs, en chapeau à huit reflets et en pardessus impeccable. Lorsqu'il me vit, il souleva un

peu son chapeau et sourit distraitement. J'eus alors
l'espoir d'être appelé aussitôt, mais une heure s'écoula
encore. Je ne me rappelle plus à quoi je la passai. Elle
s'écoula. Vint ensuite un homme vieux, ceint d'un tablier
taché, une sorte d'infirmier, qui me toucha l'épaule.
J'entrai dans une des chambres voisines. Le médecin et
les jeunes gens étaient assis autour de la table et me
regardaient. On me donna une chaise. Voilà. A présent je
devais raconter mon cas. Le plus brièvement possible, s'il
vous plaît. Car ces messieurs ne disposaient pas de
beaucoup de temps. Je me sentais singulièrement mal à
l'aise. Les jeunes gens étaient assis et me regardaient avec
cet air de supériorité et cette curiosité professionnelle
qu'ils avaient appris. Le médecin que je connaissais
caressait sa barbiche noire et souriait distraitement. Je
pensai que j'allais fondre en larmes, mais je m'entendis
répondre couramment en français : « J'ai déjà eu l'honneur, monsieur, de vous donner tous les renseignements
que je puis vous donner. Si vous jugez indispensable que
ces messieurs soient mis au courant, vous sauriez certainement le faire en quelques mots, alors que cela me serait
à moi-même infiniment pénible. » Le médecin se leva
avec un sourire poli, se dirigea vers la fenêtre avec les
assistants et prononça quelques mots qu'il accompagnait
d'un mouvement de la main vertical et oscillant. Au bout
de trois minutes l'un des jeunes gens, myope et négligent,
revint à ma table et demanda en essayant de me regarder
d'un air sévère :

— Vous dormez bien, monsieur ?

— Non, mal.

Après quoi il se précipita de nouveau vers le groupe de
la fenêtre. On y discuta encore pendant un moment, puis
le médecin se tourna vers moi et me dit qu'on me
rappellerait. Je lui fis observer que j'avais été convoqué

pour une heure. Il sourit et eut quelques mouvements
rapides et sautillants de ses petites mains blanches qui
voulaient sans doute dire qu'il était très occupé. Je
retournai donc dans mon couloir où l'air était devenu
beaucoup plus pesant et je recommençai à aller et venir,
bien que je me sentisse mortellement las. L'odeur humide
et renfermée finit par me donner le vertige, je m'arrêtai à
la porte d'entrée et l'entr'ouvris. Je vis que dehors, c'était
encore l'après-midi et qu'il faisait du soleil : cela me
ranima d'une façon inexprimable. Mais j'étais là depuis
une minute à peine, lorsque je m'entendis interpeller.
Une femme, assise à deux pas de moi, auprès d'une petite
table, m'adressa la parole d'une voix sifflante : Qui
m'avait dit d'ouvrir la porte ? me demandait-elle. Je
répondis que je ne pouvais supporter l'atmosphère de la
salle. Cela ne regardait que moi, mais la porte devait
rester fermée. N'était-il donc pas possible d'ouvrir une
fenêtre ? Non, c'était interdit. Je décidai de recommencer
à aller et venir, parce que c'était une manière de
m'étourdir et que cela ne pouvait gêner personne. Mais
cela aussi déplaisait maintenant à la femme assise auprès
de la petite table : N'avais-je donc pas de place ? Non, je
n'en avais pas. Mais il s'en trouverait bien quelqu'une. La
femme avait raison. Il se trouva en effet aussitôt une place
à côté de la fillette aux yeux désorbités. A présent, j'étais
assis, avec le sentiment que cet état devait certainement
préparer à de terribles choses. A ma gauche était la
fillette aux gencives pourries ; je ne pus distinguer qu'au
bout d'un instant ce qui était à ma droite. C'était une
masse énorme, incapable de se mouvoir, qui avait un
visage et une main grande, lourde et immobile. Le côté
du visage que je voyais était vide, sans traits ni souvenirs,
et on éprouvait de l'inquiétude à voir que les vêtements
étaient semblables à ceux d'un cadavre qu'on aurait

habillé pour le mettre en bière. L'étroite cravate noire était nouée de la même manière lâche, impersonnelle autour du col et l'on voyait que la veste avait été mise par quelqu'un d'autre à ce corps sans volonté. On avait posé la main sur ce pantalon, là, exactement où elle était, et les cheveux même étaient peignés comme par des veilleuses de morts, ordonnés avec raideur comme le poil d'une bête empaillée. J'observai tout cela avec attention et je me pris à songer que là était donc la place qui m'était destinée, car je croyais être enfin arrivé à l'endroit de ma vie où je pourrais rester. Oui, le destin suit des voies bien singulières.

Soudain s'élevèrent non loin de moi les cris effrayés — comme de quelqu'un qui se débat — d'un enfant, auxquels succéda un sanglot léger et soutenu. Tandis que je m'efforçais de deviner d'où ce bruit avait pu venir, un petit cri étouffé se perdit en un tremblement et j'entendis des voix qui questionnaient, une voix plus basse qui ordonnait, et puis une machine indifférente se mit à ronfler et ne se souciait plus de rien. Je me rappelai alors ce demi-mur et je compris que tous ces bruits venaient d'au-delà des portes, et qu'on y travaillait à présent. En effet, de temps en temps, apparaissait l'infirmier au tablier taché ; il faisait signe. Je ne pensais même plus que ce pût être pour moi. Était-ce pour moi ? Non. Deux hommes étaient là avec un fauteuil à roulettes. Ils y déposèrent la masse, et je vis à présent que c'était un vieux paralytique qui avait encore un autre côté, plus petit, usé par la vie, avec un œil ouvert, trouble et triste. Ils le poussèrent de l'autre côté, et il y eut auprès de moi une large place. Cependant j'étais toujours assis et je me demandais ce qu'ils avaient l'intention de faire à la fillette idiote et si elle aussi crierait. Là derrière, les machines ronflaient avec un bruit d'usine si régulier qu'il n'avait plus rien d'inquiétant.

Mais subitement tout se tut et, dans le silence, une voix prétentieuse et vaniteuse que je croyais connaître dit :

— Riez !

Un silence.

— Riez ! Mais riez, riez !

Je riais déjà. On ne pouvait s'expliquer pourquoi cet homme-là, de l'autre côté, ne voulait pas rire. Une machine ronfla, mais se tut aussitôt. On échangea des paroles, puis la même voix énergique s'éleva et ordonna :

— Dites-nous le mot : *Avant*.

Et l'épelant :

A-v-a-n-t.

Silence.

— On n'entend rien. Encore une fois...

Et alors, lorsque j'entendis balbutier si mollement, alors, pour la première fois depuis de longues, longues années, ce fut de nouveau là. *Cela*, qui m'avait inspiré ma première et profonde frayeur, lorsque, tout enfant, la fièvre m'avait tenu : *la grande chose*. Oui, c'est ainsi que je l'avais toujours appelée, lorsque tous étaient debout autour de mon lit et tâtaient mon pouls et me demandaient ce qui m'avait effrayé : *la grande chose*. Et quand ils cherchaient le docteur et qu'il était là, je le priais de faire seulement que la grande chose s'en allât, cela et rien de plus. Mais il était comme les autres. Il ne pouvait pas l'enlever, bien que je fusse alors si petit qu'il eût été facile de m'aider. Et voici qu'*elle* était de nouveau là. Par la suite, elle avait disparu, elle n'était même pas revenue par les nuits de fièvre, mais voici qu'elle était là, bien que je n'eusse pas de fièvre. Voici qu'elle était là. Elle grandissait en jaillissant de moi comme une tumeur, comme une seconde tête, comme une partie de moi-même, et qui

cependant ne pouvait pas m'appartenir puisqu'elle était si
grande. Elle était là comme une grande bête morte qui
aurait été autrefois, lorsqu'elle vivait encore, ma main ou
mon bras. Et mon sang me traversait et la traversait
comme un seul et même corps. Et mon cœur devait battre
plus fort pour chasser le sang jusqu'à elle : il n'y avait
presque pas assez de sang. Et le sang la pénétrait
malaisément et revenait malade et mauvais. Mais elle
gonflait et croissait devant mon visage comme une bosse
chaude et bleuâtre, elle dépassait ma bouche, et déjà mon
dernier œil disparaissait dans son ombre.

Je ne me rappelle plus combien de cours j'ai traversées
pour sortir. C'était le soir et je m'égarai dans ce quartier
inconnu, et je suivis des boulevards avec des murs sans fin
dans une direction, et, lorsqu'il n'y avait décidément pas
de fin, je retournai dans la direction opposée jusqu'à une
place, n'importe laquelle. Là je commençai à suivre une
rue, et d'autres rues venaient que je n'avais jamais vues,
et d'autres encore. Des trams électriques arrivaient
parfois, très vite et trop clairs, passaient et s'éloignaient
avec leur sonnerie dure et frappée. Mais les écriteaux
portaient des noms que je ne connaissais pas. Je ne savais
pas dans quelle ville je me trouvais, si j'avais ici quelque
part un logis, ni ce que je devais faire pour ne pas marcher
toujours.

Et voici encore cette maladie dont l'atteinte m'a
toujours été si étrange. Je suis certain qu'on ne sent pas à
quel point elle est dangereuse. De même qu'on s'exagère
l'importance d'autres maladies. Cette maladie n'a pas de
particularités déterminées, elle prend les particularités de
ceux qu'elle attaque. Avec une sûreté de somnambule

elle puise en chacun son danger le plus profond, qui semblait passé, et le pose de nouveau devant lui, tout près, dans l'heure imminente. Des hommes qui, comme collégiens, avaient une fois essayé ce vice plein de détresse dont les familiers déçus sont ces pauvres et dures mains de gamins, se surprennent de nouveau, tentés par lui, ou bien c'est une autre maladie, surmontée jadis, qui reprend en eux ; ou bien une habitude perdue est de nouveau là, une certaine façon hésitante de tourner la tête qui leur était propre voici des années. Et avec ce qui revient s'élève tout un tissu confus de souvenirs égarés qui s'y accroche, comme des algues mouillées à un objet englouti par les eaux. Des vies dont on n'aurait jamais rien appris viennent à la surface, et se mêlent à ce qui a réellement été, et repoussent un passé que l'on croyait connaître : car ce qui remonte ainsi est plein d'une force reposée et neuve, mais ce qui toujours était là, est fatigué d'avoir été trop souvent évoqué.

Je suis couché dans mon lit, à mon cinquième étage, et mon jour, que rien n'interrompt, est comme un cadran sans aiguilles. De même qu'une chose qui était longtemps perdue, se retrouve un matin à sa place, ménagée et bonne, presque plus neuve qu'au jour de la perte, comme si elle avait été confiée aux soins de quelqu'un, — de même se retrouvent çà et là sur la couverture de mon lit des choses perdues de mon enfance et qui sont comme neuves. Toutes les peurs oubliées sont de nouveau là.

La peur qu'un petit fil de laine qui sort de l'ourlet de la couverture ne soit dur, dur et aigu comme une aiguille en acier ; la peur que ce petit bouton de ma chemise de nuit ne soit plus gros que ma tête, plus gros et plus lourd, la peur que cette petite miette de pain ne soit en verre lorsqu'elle touchera le sol et qu'elle ne se brise, et le souci pesant qu'en même temps tout ne soit brisé ; qu'à jamais tout ne soit brisé, la peur que ce bord déchiré d'une lettre ouverte ne soit un objet défendu, un objet indiciblement précieux pour lequel nul endroit de la chambre ne serait assez sûr ; la peur d'avaler, si je m'endormais, le morceau de charbon qui est là devant le poêle ; la peur qu'un chiffre quelconque ne puisse commencer à croître dans mon cerveau jusqu'à ce qu'il n'y ait plus place pour lui en moi ; la peur que ma couche ne soit en granit, en granit gris ; la peur de crier et qu'on n'accoure à ma porte et qu'on ne finisse par l'enfoncer ; la peur de me trahir et de dire tout ce dont j'ai peur, et la peur de ne pouvoir rien dire, parce que tout est indicible, et les autres peurs… les peurs.

J'ai prié pour retrouver mon enfance, et elle est revenue, et je sens qu'elle est toujours dure comme autrefois et qu'il ne m'a servi à rien de vieillir.

Hier ma fièvre allait mieux et aujourd'hui le jour commence comme un printemps, — comme un printemps en images. Je veux essayer de sortir ; je veux aller à la Bibliothèque nationale, chez mon poète que je n'ai pas lu depuis si longtemps, et, peut-être, en sortant, traverserai-je lentement les jardins. Peut-être y a-t-il du vent sur le grand étang qui a de l'eau si véritable, et des enfants viendront qui y lâcheront leurs bateaux aux voiles rouges, et les regarderont.

Aujourd'hui vraiment, je n'attendais pas cela ; j'étais sorti avec tant de courage, le plus naturellement et le plus simplement du monde. Et pourtant un événement de nouveau survint qui me saisit comme un papier, qui me fripa et me rejeta ; un événement inouï survint.

Le boulevard Saint-Michel était vide et vaste, et l'on

marchait facilement sur sa pente douce. Des battants de
fenêtres s'ouvraient très haut, avec un clair son de verre,
et leurs reflets volaient comme des oiseaux blancs par-
dessus la rue. Une voiture aux roues d'un rouge vif passa,
et, plus bas, quelqu'un portait un objet d'un vert lumineux. Des chevaux trottaient dans leurs harnais luisants
sur la piste sombre et fraîchement arrosée de la rue. Le
vent était agité, doux, tendre, et tout montait : des
odeurs, des cris, des cloches.

Je passais devant un de ces cafés où de faux tziganes
rouges jouent d'habitude le soir. Par les fenêtres ouvertes
s'échappait, avec la conscience mauvaise, l'air de la nuit
passée. Des sommeliers aux cheveux plats étaient occupés
à balayer devant la porte. L'un était penché et jetait,
poignée par poignée, un sable jaunâtre sous les tables,
lorsqu'un autre qui passait le heurta et du geste désigna le
bas de la rue. Le garçon, qui avait le visage rouge,
regarda un instant fixement dans cette direction, puis un
rire s'étendit sur ses joues imberbes comme s'il y avait
était répandu. Il fit signe aux autres garçons, et tout en
riant, tourna la tête de droite à gauche, plusieurs fois et
rapidement, pour les appeler tous ; sans rien perdre lui-
même du spectacle. A présent tous étaient debout et
regardaient cette chose risible, qui cherchant, qui souriant, qui fâché de n'avoir encore rien distingué.

Je sentis qu'un peu de peur commençait en moi. Je ne
sais quoi me poussa de l'autre côté de la rue ; et puis je me
mis à marcher plus vite et je parcourais inconsciemment
du regard les rares personnes qui me précédaient, sur qui
cependant je ne remarquais aucune particularité. Pourtant, je vis que l'une d'elles, un garçon de magasin en
tablier bleu qui portait derrière l'épaule un panier à anse
vide, suivait quelqu'un des yeux. Lorsqu'il eut assez vu, il
se retourna du côté des maisons et, clignant de l'œil à un

commis qui éclatait de rire, fit devant son front ce
mouvement circulaire de la main dont le sens est familier
à tout le monde. Puis ses yeux noirs lancèrent des éclairs
et, l'air satisfait, il vint à ma rencontre en se dandinant un
peu.

Je m'attendais à voir, aussitôt que ma vue s'étendait sur
un espace plus profond, je ne sais quelle figure extraordinaire et frappante, mais personne ne marchait devant moi
qu'un grand homme décharné dans un pardessus sombre,
un chapeau souple et noir posé sur des cheveux courts
d'un blond terne. Je m'assurai qu'il n'y avait rien de
risible ni dans les vêtements ni dans l'allure de cet homme
et déjà je m'apprêtais à regarder en avant de lui le bas du
boulevard, lorsqu'il buta sur je ne sais quoi. Comme je le
suivais de près, je me tins sur mes gardes lorsque
j'approchai de l'endroit, mais il n'y avait rien, absolument
rien. Nous continuâmes tous deux, lui et moi ; la distance
entre nous restait la même. Puis il y eut un carrefour : et il
arriva alors que l'homme descendit les marches du
trottoir en sautillant avec des pieds inégaux, à peu près
comme les enfants dansent ou sautillent parfois en
marchant lorsqu'ils se réjouissent. Il remonta sur l'autre
trottoir, d'un seul grand pas. Mais à peine s'y trouvait-il
qu'il plia un peu une jambe et sautilla sur l'autre, une fois,
puis encore, et encore. A présent l'on pouvait en effet
fort bien prendre ce brusque mouvement pour une sorte
de culbute si l'on se persuadait qu'il y avait eu là un petit
objet quelconque, un pépin, la pelure glissante d'un fruit,
n'importe quoi ; et l'étrange était que l'homme lui-même
semblât croire à l'existence d'un obstacle, car il se
retournait chaque fois avec ce regard mi-contrarié, mi-
plein de reproche que l'on porte d'habitude en pareille
circonstance, sur l'endroit importun. Encore une fois, un
pressentiment m'appela de l'autre côté de la rue, mais je

n'obéis pas et continuai de suivre cet homme en fixant toute mon attention sur ses jambes. Je dois avouer que je me sentis singulièrement soulagé, car pendant une vingtaine de pas le sautillement ne reparut point ; mais lorsque je levai les yeux, je remarquai qu'il était arrivé à l'homme une autre mésaventure. Le col de son pardessus s'était relevé ; et il avait beau s'efforcer, tantôt avec une main, tantôt avec les deux à la fois, de le replier, il n'y pouvait réussir. Ce sont des choses qui arrivent. Cela ne m'inquiétait pas. Mais aussitôt après, je remarquai, à mon plus vif étonnement, qu'il y avait dans les mains agitées de cet homme deux mouvements : un mouvement dérobé et rapide qui relevait toujours de nouveau le col, et cet autre mouvement, détaillé, prolongé et comme épelé avec une lenteur et une précision exagérées, qui devait opérer son abaissement. Cette observation me troubla si fort que deux minutes s'écoulèrent avant que j'eusse reconnu qu'il y avait dans la nuque de l'homme, derrière son pardessus relevé et ses mains agitées de secousses nerveuses, le même sautillement terrible en deux temps qui venait de quitter ses jambes. A partir de cet instant, j'étais lié à lui. Je comprenais que ce sautillement errait dans son corps et essayait de s'en échapper ici ou là. Je comprenais la peur que l'homme avait des gens et je commençais à observer moi-même, prudemment, si les passants s'apercevaient de quelque chose. Un froid subit me perça le dos lorsque ses jambes firent soudain un petit saut convulsif, mais personne ne l'avait vu, et je me dis que moi aussi je buterai légèrement si quelqu'un s'en apercevait. C'était en effet un moyen de faire croire aux curieux qu'il y avait eu là un petit obstacle imperceptible sur lequel nous avions, par hasard, tous deux marché. Mais pendant que je me demandais ainsi comment je viendrais à son aide, il avait trouvé lui-même

un nouvel et excellent moyen. J'ai oublié de dire qu'il
avait une canne ; c'était une canne banale, en bois foncé,
avec un manche arrondi et simple. Dans son anxieuse
recherche, l'idée lui était venue de tenir cette canne
contre son dos, d'abord d'une seule main (car qui savait à
quoi l'autre pourrait encore lui être nécessaire), tout droit
sur la colonne vertébrale, de l'appuyer sur l'échine et de
glisser l'extrémité arrondie de cette béquille sous son col,
de telle sorte qu'on la sentait, dure et comme un point
d'appui, derrière la vertèbre de la nuque et la première
vertèbre du dos. C'était une attitude qui ne pouvait pas
frapper, qui devait tout au plus paraître un peu extrava-
gante ; mais cette journée de printemps inattendue pouvait l'excuser. Personne ne songeait à se retourner, et à
présent tout allait bien. Tout allait à merveille. Il est vrai
que déjà, à la prochaine rue transversale, deux autres
sautillements s'échappèrent, deux petits sautillements à
moitié réprimés, sans aucune importance ; et l'un de ces
sauts, le seul qui fût vraiment visible, avait été si
habilement placé (un tuyau à arroser était justement
couché en travers de la rue), qu'il n'y avait rien à
redouter. Oui, tout allait encore bien ; de temps à autre la
deuxième main saisissait aussi la canne, la serrait plus
fort, et aussitôt le danger était écarté. Mais, je n'y pouvais
rien, mon anxiété n'en grandissait pas moins. Je savais
que, tandis qu'il faisait des efforts désespérés pour
paraître indifférent et distrait, les terribles secousses
s'amassaient dans son corps ; elle était en moi-même,
l'angoisse avec laquelle il sentait croître et croître en lui
cette force effrayante, et je le voyais se cramponner à la
canne, lorsqu'il commençait de se sentir secoué à l'intérieur de lui. Alors l'aspect de ces mains était si sévère et si
impitoyable que je mettais toute mon espérance dans sa
volonté qui devait être grande. Mais que pouvait ici une

volonté ? L'instant devait venir où ses forces seraient à bout, il ne pouvait plus être éloigné. Et moi qui marchais derrière lui, le cœur battant vite, je réunissais mon peu de force, comme de l'argent, et, cependant que je regardais ses mains, je le priais de se servir s'il en avait besoin.

Je crois qu'il m'en a emprunté ; est-ce ma faute si je n'avais pas davantage à lui offrir ?

Sur la place Saint-Michel, il y avait beaucoup de véhicules et de gens qui allaient et venaient ; nous étions parfois pris entre deux voitures ; il respirait alors et se laissait un peu aller, comme pour se reposer, et il se permit un sautillement et un léger hochement. Peut-être était-ce la ruse par laquelle la maladie prisonnière espérait le dominer. La volonté était rompue à deux endroits et cet abandon avait laissé dans les muscles obsédés une tentation doucement insinuante et comme la contrainte de ce double rythme. Mais la canne était encore à sa place et les mains paraissaient mauvaises et irritées. C'est ainsi que nous posâmes pied sur le pont, et cela allait. Cela allait encore. Mais, à présent, sa démarche devenait incertaine ; tantôt il faisait deux pas en courant, tantôt il s'arrêtait. S'arrêtait. La main gauche se détacha doucement de la canne et se leva si lentement que je la sentais trembler à l'air ; il poussa un peu son chapeau en arrière et se passa la main sur le front. Il tourna un peu la tête et son regard s'égara par-dessus le ciel, les maisons et l'eau, sans rien saisir, — et puis il céda. La canne avait disparu, il étendit les bras comme s'il avait voulu s'envoler, et cela éclata hors de lui, comme une force naturelle, et le plia en avant, et le tira violemment en arrière, et le fit se balancer et s'incliner, et, comme une fronde, jeta sa danse forcenée parmi la foule. Car déjà beaucoup de gens étaient autour de lui et je ne le voyais plus.

J'aurais pu encore continuer ma route. Mais à quoi

bon ? J'étais vide. Comme un papier vide, je traînai à la dérive en remontant le long des maisons du boulevard.

J'essaie [1] de t'écrire, bien qu'à la vérité il n'y ait rien à dire après un départ nécessaire. J'essaie pourtant, je crois que je dois le faire, parce que j'ai vu la sainte au Panthéon, la solitaire et sainte femme, et le toit et la porte, et, au-dedans, la lampe avec son modeste cercle de lumière, et, dehors, la ville endormie et le fleuve et les lointains au clair de lune. La sainte veille sur la ville endormie. J'ai pleuré. J'ai pleuré parce que tout cela était si inattendu. J'ai pleuré là devant, je n'en pouvais plus.

Je suis à Paris ; ceux qui l'apprennent se réjouissent, la plupart m'envient. Ils ont raison. C'est une grande ville ; grande et pleine d'étranges tentations. Je crois qu'il n'est pas possible de l'exprimer autrement. J'ai succombé à ces tentations et il en est résulté certaines transformations, sinon de mon caractère, du moins de ma conception générale de la vie, et dans tous les cas, de ma vie elle-même. Une compréhension très différente de toutes choses s'est formée en moi sous ces influences ; certaines différences existent qui me séparent des hommes plus que toutes mes expériences antérieures. Un monde transformé. Une vie nouvelle, pleine de significations nouvelles. J'ai un peu de peine en ce moment, parce que tout est trop nouveau. Je suis un débutant dans mes propres conditions de vie.

Ne pourrais-je, une fois, voir la mer ?

Oui, mais figure-toi, je m'imaginais que tu pourrais venir. Aurais-tu pu me dire s'il y a un médecin ? J'ai

1. Un projet de lettre

oublié de m'en informer. D'ailleurs, je n'en ai plus besoin à présent.

Te rappelles-tu le poème inouï de Baudelaire : « Une charogne » ? Il se peut que je le comprenne à présent. La dernière strophe exceptée, il était dans son droit. Que devait-il faire après une telle expérience ?... Il lui incombait de voir parmi ces choses terribles, parmi ces choses qui semblent n'être que repoussantes, ce qui est, ce qui seul compte parmi tout ce qui est. Ni choix ni refus ne sont permis. Crois-tu que ce soit par hasard que Flaubert ait écrit son *Saint Julien l'Hospitalier* ? Il me semble que là est le point décisif : se surmonter jusqu'à se coucher à côté d'un lépreux, jusqu'à le réchauffer à la chaleur intime des nuits d'amour — et cela ne peut que bien finir

Ne va pas croire surtout que je souffre ici de déceptions, bien au contraire. Je m'étonne quelquefois de la facilité avec laquelle j'abandonne tout ce que j'attendais, pour le réel, même lorsqu'il est pire.

Mon Dieu, s'il était possible de le partager avec quelqu'un. Mais *serait-il* alors, *serait-il* encore ? Non, car il n'est qu'au prix de la solitude.

L'existence du terrible dans chaque parcelle de l'air. Tu le respires avec sa transparence ; et il se condense en toi, durcit, prend des formes pointues et géométriques entre tes organes ; car tous les tourments et toutes les tortures accomplis sur les places de grève, dans les chambres de la question, dans les maisons de fous, dans les salles d'opérations, sous les arcs des ponts en arrière-automne : tous et toutes sont d'une opiniâtre indélébilité, tous subsistent et s'accrochent, jaloux de tout ce qui est, à leur effrayante réalité. Les hommes voudraient pouvoir en oublier beaucoup; leur sommeil lime doucement ces sillons du cerveau, mais des rêves le repoussent et en retracent le dessin. Et ils s'éveillent, haletants, et laissent se fondre dans l'obscurité la lueur d'une chandelle et boivent comme de l'eau sucrée cette demi-clarté à peine calmante. Car, hélas, sur quelle arête se tient cette sécurité? Le moindre mouvement, et déjà le regard plonge au-delà des choses connues et amies, et le contour, tout à l'heure consolateur, se précise comme un rebord de terreur Garde-toi de la lumière qui creuse davantage l'espace; ne te retourne pas pour voir si nulle ombre ne se dresse d'aventure derrière toi comme ton maître. Mieux eût valu rester dans l'obscurité, et ton cœur illimité aurait essayé de devenir le cœur lourd de tout l'indistinct. Voici que tu t'es repris en toi, que tu te sens prendre fin dans tes mains et que, d'un mouvement mal précisé, tu retraces de temps en temps le contour de ton visage. Et il n'y a presque pas d'espace en toi; et tu te calmes presque à la pensée qu'il est impossible que quelque chose de trop grand puisse se tenir dans cette étroitesse; et que l'inouï même doit devenir intérieur et s'adapter aux circonstances. Mais dehors, dehors tout est sans mesure. Et lorsque le niveau monte au-dehors, il s'élève aussi en toi, non pas dans les vases qui sont en partie en ton pouvoir, ou dans le flegme de tes organes les plus impassibles: mais il croît dans les vaisseaux capillaires, aspiré vers en haut jusque dans les derniers embranchements de ton existence infiniment ramifiée. C'est là qu'il monte, c'est là qu'il déborde de toi, plus haut que ta respiration, et, dernier recours, tu te réfugies comme sur la pointe de ton haleine. Ah! et où ensuite, où ensuite? Ton cœur te chasse hors de toi-même, ton cœur te poursuit, et tu es déjà presque hors de toi, et tu ne peux plus. Comme un scarabée sur lequel on

a marché, tu coules hors de toi-même et ton peu de dureté
ou d'élasticité n'a plus de sens.

O nuit sans objets. O fenêtre sourde au-dehors, ô
portes closes avec soin ; pratiques venues d'anciens
temps, transmises, vérifiées, jamais entièrement compri-
ses. O silence dans la cage de l'escalier, silence dans les
chambres voisines, silence là-haut, au plafond. O mère :
ô toi unique, qui t'es mise devant tout ce silence, au temps
que j'étais enfant ! Qui le prends sur toi, qui dis : « Ne
t'effraie pas, c'est moi. » Qui as le courage, en pleine
nuit, d'être le silence pour qui a peur, pour ce qui périt de
peur ! Tu allumes une lumière et le bruit, déjà, c'est toi.
Tu la soulèves et tu dis : « C'est moi, ne t'effraie pas. »
Et tu la déposes lentement, et il n'y a pas de doute : c'est
toi, tu es la lumière autour des objets familiers et intimes
qui sont là, sans arrière-sens, bons, simples, certains. Et
lorsque quelque chose remue dans le mur ou fait un pas
dans le plancher : tu souris seulement, tu souris, souris,
transparente sur un fond clair, au visage angoissé qui te
sonde comme si tu ne faisais qu'un avec le mystère,
comme si tu étais dans le secret de chaque son étouffé,
d'accord avec lui et de concert. Un pouvoir égale-t-il ton
pouvoir dans le royaume de la terre ? Vois, les rois eux-
mêmes sont raidis sur leur couche et le conteur n'arrive
pas à les distraire. Sur les seins adorés de leur maîtresse la
plus chère, la terreur s'insinue en eux et les fait trem-
blants et impuissants. Mais toi, tu viens et tu tiens
l'immensité derrière toi et tu es tout entière devant elle ;
non pas comme un rideau qu'elle pourrait soulever ici et
là. Non ! Comme si tu l'avais rattrapée à l'appel de celui
qui avait besoin de toi. Comme si tu avais devancé de
beaucoup tout ce qui peut encore arriver et que tu
n'eusses dans le dos que ta course vers lui, ton chemin
éternel, le vol de ton amour.

Le mouleur devant la boutique duquel je passe tous les jours a accroché deux masques devant sa porte. Le visage de la jeune noyée que l'on moula à la morgue, parce qu'il était beau, parce qu'il souriait, parce qu'il souriait de façon si trompeuse, comme s'il savait. Et en dessous, l'autre visage qui sait. Ce dur nœud de sens tendus à rompre. Cette implacable condensation d'une musique qui sans cesse voudrait s'échapper. Le visage de celui à qui un Dieu a fermé l'ouïe pour qu'il n'y ait plus de sons hors les siens ; pour qu'il ne soit pas égaré par le trouble éphémère des bruits. Lui qui contenait leur clarté et leur durée ; pour que seuls les sens inaptes à saisir le son ramènent le monde vers lui, sans bruit, un monde en suspens, en expectative, inachevé, d'avant la création du son.

Finisseur du monde : ainsi que ce qui tombe en pluie sur la terre et les eaux, qui, négligemment, par hasard se dépose, se relève de partout, moins visible et joyeux d'obéir à sa loi, et monte et flotte et forme le ciel : de même s'éleva hors de toi la montée de nos chutes, et de musique envoûta le monde.

Ta musique : elle eût pu être autour de l'univers ; non pas autour de nous. On t'eût construit un orgue dans la Thébaïde ; et un ange t'aurait conduit devant l'instrument solitaire, entre les montagnes du désert où reposent des rois, des hétaïres et des anachorètes. Et, brusquement, il aurait pris son vol, de peur que tu ne pusses commencer.

Et alors tu te serais répandu à flots, fluvial, dans le vide, restituant à l'univers ce que seul l'univers peut supporter. Au loin, les bédouins se seraient enfuis sur leurs chevaux, superstitieusement ; mais les marchands se seraient jetés par terre, aux confins de ta musique, comme si tu étais la tempête. Et seuls quelques rares lions, la nuit, auraient rôdé, très loin, autour de toi, effrayés par eux-mêmes, menacés par leur sang agité.

Car à présent qui te retirera des oreilles cupides ? Qui les chassera hors des salles de concert, ces vénaux dont l'ouïe stérile se prostitue et ne reçoit jamais ? Voici de la semence qui rayonne, et ils se tiennent en dessous d'elle comme des filles et ils jouent avec elle ; ou bien la laissent tomber comme la semence d'Onan, tandis qu'ils sont couchés dans leurs contentements inachevés.

Mais si jamais, maître, un chaste à l'oreille vierge était étendu contre ton son : il mourrait de félicité, ou il concevrait l'infini, et son cerveau fécondé éclaterait de trop de naissance.

Je ne le néglige pas. Je sais qu'il y faut du courage. Mais supposons un instant que quelqu'un le possède, ce *courage de luxe*, de les suivre, pour enfin savoir à jamais (car qui, de nouveau, saurait oublier ou confondre cela ?) où ils finissent par se recroqueviller, et ce qu'ils font du restant de la longue journée, et où ils dorment la nuit. C'est cela surtout qu'il s'agirait d'établir : s'ils dorment. Mais il n'y faudrait pas que du courage. Car ils ne vont ni viennent comme d'autres gens que suivre serait un jeu d'enfant. Ils sont là et ils n'y sont plus, posés et enlevés comme des soldats de plomb. On les rencontre en des endroits un peu perdus, mais point du tout cachés. Les buissons s'effacent, le chemin s'incurve légèrement autour du gazon : les voici, et ils ont autour d'eux un large espace transparent, comme s'ils étaient sous une verrière. Tu pourrais les prendre pour des promeneurs pensifs, ces hommes sans apparence, de forme si menue et si modeste, sous tous les rapports. Mais tu te trompes. Vois la main gauche, comme elle s'étend vers la poche oblique du vieux pardessus ; comme elle trouve et retire, comme elle tient en l'air le petit objet, d'un geste gauche et provocant.

Une minute à peine, et déjà deux ou trois oiseaux sont là, des moineaux curieux, qui s'avancent en sautillant. Et si l'homme réussit à se conformer à leur très précise conception de l'immobilité, il n'y a pas de raison pour qu'ils ne s'approchent pas davantage. Et enfin l'un s'élance et volète un instant nerveusement à la hauteur de cette main dont les doigts, sans prétentions (et qui renoncent visiblement), tendent Dieu sait quel brin de pain douceâtre et usé. Et plus nombreux sont les hommes qui — à distance respectueuse, bien entendu — s'assemblent autour de lui, moins il paraît avoir avec eux de traits communs. Il est là comme un chandelier qui achève de brûler et luit encore avec le reste de sa mèche et en est tout chaud et n'a jamais bougé. Et comment il attire et comment il les charme, c'est ce dont tous ces petits oiseaux ignorants ne sauraient naturellement pas juger. N'étaient les spectateurs et si on le laissait attendre assez longtemps, je suis certain qu'un ange tout à coup viendrait et surmonterait son dégoût et mangerait cette vieille bouchée de pain douceâtre dans cette main rabougrie. Mais comme toujours les gens empêchent que cela arrive. Ils font en sorte que seuls des oiseaux viennent ; ils trouvent cela suffisant et ils affirment qu'il n'attend rien d'autre. Qu'attendrait-elle donc, cette vieille poupée fatiguée par les pluies, plantée en terre un peu de biais comme les anciennes figures de proue dans les petits jardins de chez nous ? A-t-elle été dressée, elle aussi, quelque part à l'avant de la vie, à l'endroit où le mouvement est le plus rapide ? Est-elle ainsi fanée parce qu'elle fut jadis bariolée ? Veux-tu le lui demander ?

Aux seules femmes ne demande rien, lorsque tu les vois nourrir des oiseaux. Tu pourrais même les suivre ; rien de plus facile. Car elles ne le font qu'en passant. Mais laisse-les en paix ! Elles ne savent pas comment cela arrive : tout à coup elles ont beaucoup de pain dans leur sacoche, et une main, surgie de leur mantille usée, en tend de grands morceaux qui sont un peu mâchés et humides. Il leur est doux de penser que leur salive voyage dans le monde, que les petits oiseaux volent avec cet arrière-goût, encore que, naturellement, ils ne tardent pas à l'oublier.

Et voici que j'étais devant tes livres de têtu et que j'essayais de les imaginer, à la manière de ces étrangers qui ne respectent pas ton unité, de ces satisfaits qui se sont taillé une part dans toi. Car je ne connaissais pas encore la gloire, cette démolition publique d'un qui devient et dans le chantier duquel la foule fait irruption en déplaçant les pierres.

Jeune homme quelque part en qui monte je ne sais quoi qui te fait frémir, profite de ton obscurité. Et si te contredisent ceux qui font fi de toi, et si t'abandonnent tout à fait ceux avec qui tu fréquentais, et s'ils veulent t'extirper, à cause de ta chère pensée, qu'importe ce danger visible qui te concentre en toi-même auprès de la maligne hostilité, plus tard, de la gloire qui te rend inoffensif en t'épandant.

Ne demande à personne de parler de toi, même pas avec dédain. Et si le temps passe et que tu t'aperçoives que ton nom circule parmi les hommes, n'en fais pas plus de cas que de tout ce que tu trouves dans leur bouche.

Pense qu'il est devenu mauvais, et rejette-le. Prends-en un autre, n'importe lequel, pour que Dieu puisse t'appeler en pleine nuit. Et tiens-le secret à tous.

O toi le plus solitaire, à l'écart de tous, combien vite ils t'ont rejoint, en se servant de ta gloire ! Eux qui si récemment encore étaient contre toi de fond en comble, voici qu'ils te traitent comme leur égal. Et ils portent tes mots avec eux dans les cages de leur présomption, et ils les montrent sur les places, et les excitent un peu, du haut de leur sécurité : tous tes fauves enchaînés.

Et je te lus seulement, lorsqu'ils s'échappèrent et m'attaquèrent dans mon désert, les désespérés. Désespéré comme tu finis par être, toi-même dont la route est mal dessinée sur les cartes. Comme une fêlure elle traverse le ciel, cette hyperbole sans espoir, qui ne s'incline qu'une seule fois vers nous et s'en éloigne de nouveau terrifiée. Que t'importait qu'une femme restât ou partît, que le vertige saisît quelqu'un et la folie quelque autre, que les morts fussent vivants et que les vivants pussent sembler morts ; que t'importait tout cela ? Tout cela était si naturel pour toi ; tu le franchissais, comme on traverse un vestibule, sans t'arrêter. Mais tu t'attardais et te baissais, là où notre devenir bout, se précipite et change de couleur : au dedans. En un tréfonds où personne n'avait jamais pénétré, une porte s'était ouverte devant toi, et voici que tu étais près des cornues, sous les reflets de la flamme. Là où tu n'emmenas jamais personne, méfiant, c'est là que tu t'assis et que tu discernas des différences. Et c'est là — parce que c'était la force de ton sang de révéler, et non pas de former ni de dire — que tu pris cette décision inouïe de grossir à toi seul ce fait tout menu (et que tu ne distinguais d'abord qu'au fond de tes éprouvettes) de telle sorte qu'il apparût à des milliers d'hommes, immense devant tous.

Et ton théâtre fut. Tu ne consentis pas à attendre que cette vie, presque sans réalité dans l'espace, condensée par le poids des siècles en fines gouttelettes, fût décelée par les autres arts, qu'elle fût peu à peu rendue visible au petit nombre et que peu à peu ceux-là qui communieraient dans cette connaissance, finissent par désirer de se voir ensemble confirmer ces rumeurs augustes, dans la parabole de la scène ouverte sous leurs yeux. Non, tu ne voulus pas attendre si longtemps. Tu étais là, et ces choses à peine mesurables : un sentiment qui montait d'un demi-degré, l'angle de réfraction d'une volonté aggravée d'un poids à peine sensible, cet angle que tu devais lire de tout près, le léger obscurcissement d'une goutte de désir et cette ombre d'un changement de couleur dans un atome de confiance — cela, il fallut que tu l'établisses et que tu le retinsses ; car c'est en de tels phénomènes qu'était à présent la vie, notre vie, qui s'était glissée en nous, qui s'était retirée vers l'intérieur, si profondément qu'on ne pouvait plus se livrer sur elle qu'à des suppositions.

Tel que tu étais, révélateur, poète tragique et sans époque, tu devais d'un seul coup transposer ces mouvements capillaires en les gestes les plus évidents, en les objets les mieux présents. Et tu entamas alors cet acte de violence sans exemple : ton œuvre, vouée de plus en plus impatiemment, de plus en plus désespérément, à découvrir parmi les choses visibles les équivalents de tes visions intérieures. Il y avait là un lapin, un grenier, une salle où quelqu'un allait et venait ; il y avait un bruit de vitres dans la chambre voisine, un incendie devant les fenêtres, il y avait le soleil. Il y avait une église et un vallon rocheux qui ressemblait à une église. Mais cela ne suffisait pas, les tours finirent par entrer et des montagnes entières ; et les avalanches qui ensevelissent les paysages comblèrent la scène chargée de choses tangibles, pour l'amour de

l'insaisissable. Et alors il arriva que tu fus à bout de
ressources. Les deux extrémités que tu avais pliées
jusqu'à les joindre, rebondirent et se séparèrent. Ta force
démente s'échappa du jonc flexible, et ce fut comme si
ton œuvre n'avait jamais été.

Qui, autrement, comprendrait qu'à la fin tu n'eusses
plus voulu quitter la fenêtre, têtu comme tu l'as toujours
été. Tu voulais voir les passants ; car la pensée t'était
venue que l'on pourrait peut-être un jour faire quelque
chose d'eux, si l'on se décidait à commencer.

C'est alors seulement que je m'aperçus qu'on ne
pouvait rien dire d'une femme ; je remarquai, quand ils
parlaient d'elle, combien ils la laissaient en blanc, qu'ils
nommaient et décrivaient les autres, les environs, les
lieux, les objets, jusqu'à un certain endroit où tout
s'arrêtait, s'arrêtait doucement et pour ainsi dire prudemment, au contour léger qui l'enveloppait et qui n'était
jamais retracé. « Comment était-elle ? » demandai-je
alors. « Blonde, à peu près comme toi », disaient-ils, puis
ils énuméraient toute sorte de détails qu'ils connaissaient
encore ; mais aussitôt son image en redevenait plus
imprécise, et je ne pouvais plus rien me représenter
d'elle. Je ne la voyais distinctement que lorsque maman
me racontait l'histoire que je réclamais sans cesse.

... Et chaque fois qu'elle en arrivait à la scène du chien,
elle avait coutume de fermer les yeux et de tenir sa figure,
toute close et cependant partout transparente, avec une
sorte de ferveur entre ses deux mains dont le froid
touchait ses tempes. « Je l'ai vu, Malte, me conjurait-
elle : je l'ai vu. » C'est durant ses dernières années que
j'entendis ce récit de sa bouche ; au temps où elle ne

voulait plus voir personne et qu'elle avait toujours avec elle, même en voyage, le fin petit tamis d'argent, par lequel elle filtrait toutes ses boissons. D'aliments solides, elle n'en prenait jamais, sauf un peu de biscuit ou de pain qu'elle émiettait lorsqu'elle était seule, et qu'elle mangeait brin par brin, comme les enfants font la mie. Elle était alors toute dominée par sa crainte des aiguilles. Pour s'excuser elle disait aux autres : « Je ne supporte vraiment plus rien, mais il ne faut pas que cela vous dérange ; je m'en trouve fort bien. » Il arrivait cependant qu'elle se tournât subitement vers moi (qui n'étais déjà plus tout à fait un enfant), et qu'elle me dit, avec un sourire qui était pour elle un grand effort : « Comme il y a beaucoup d'aiguilles, Malte, comme elles traînent partout, et quand on pense combien facilement elles pourraient tomber... » Elle tenait à dire cela avec beaucoup d'enjouement ; mais la terreur la secouait à la pensée de toutes ces aiguilles mal fixées qui à chaque instant pouvaient tomber de partout.

Mais, dès qu'elle me parlait d'Ingeborg, elle était soudain à l'abri de tous les dangers ; alors elle ne se ménageait pas ; elle parlait plus fort, riait au souvenir du rire d'Ingeborg, et l'on voyait bien alors combien Ingeborg avait été belle.

« Elle nous rendait tous joyeux, disait-elle, ton père aussi, Malte, oui, littéralement joyeux. Mais ensuite, lorsqu'on dit qu'elle allait mourir, bien qu'elle ne parût cependant qu'un peu malade, — et nous tournions tous autour d'elle et le lui cachions, — elle se mit un jour sur son séant et dit droit devant elle, comme quelqu'un qui voudrait se rendre compte du son de sa pensée : « Pour-

quoi vous tenir ainsi sur vos gardes ? Nous le savons tous,
et je peux vous tranquilliser ; les choses sont bien telles
qu'elles viennent · j'ai mon content » Songe un peu, elle
dit · « J'ai mon content », elle qui nous rendait tous
joyeux. Comprendras-tu jamais cela, Malte, lorsque tu
seras grand ? Réfléchis-y plus tard. Peut-être comprendras-tu un jour. Il serait bon d'avoir quelqu'un qui
comprenne de telles choses. »

« De telles choses » occupaient maman quand elle était
seule, et elle resta toujours seule durant ces dernières
années.

« C'est vrai que je ne trouverai jamais, Malte », disait-
elle quelquefois avec son sourire si étrangement téméraire qui ne voulait être vu de personne et se suffisait à
lui-même dans son accomplissement « Mais que personne ne soit tenté de tirer cela au clair ; si j'étais un
homme, oui, justement si j'étais un homme, j'y réfléchi-
rais dans l'ordre, du commencement à la fin. Car il doit y
avoir un commencement, et si seulement on pouvait le
saisir, ce serait déjà quelque chose. Ah ! Malte, nous
allons ainsi à la dérive, et il me semble que tous sont
distraits et préoccupés et ne prennent pas garde quand
nous passons. Comme si une étoile filante tombait et que
personne ne la vit et que personne n'eût fait de vœu.
N'oublie jamais de faire ton vœu, Malte. Car il ne faut
jamais cesser de désirer Je crois qu'il n'y a pas d'accomplissement, mais il y a des vœux à longue échéance, qui
durent toute la vie, de sorte qu'on ne pourrait même pas
attendre leur accomplissement. »

Maman avait fait monter le petit secrétaire d'Ingeborg
dans sa chambre ; je l'y trouvais souvent, car on m'avait
permis d'entrer chez elle à ma guise Mon pas s'étouffait
complètement dans le tapis, mais elle me sentait et me
tendait une main par-dessus l'autre épaule. Cette main

n'avait aucun poids et je la baisais presque comme le crucifix d'ivoire qu'on me tendait le soir avant que je m'endorme. Devant le secrétaire dont le volet se rabattait, maman était assise comme devant un instrument de musique. « Il y a tant de soleil là-dedans », disait-elle, et en effet l'intérieur en était singulièrement clair, de vieille laque jaune, avec des fleurs peintes, toujours une rouge, puis une bleue. Et là où trois fleurs se suivaient, une violette séparait les deux autres. Les couleurs et le vert de l'étroite bordure horizontale étaient aussi obscurcis que le fond était lumineux, sans être vraiment clair. Il en résultait un accord singulièrement assourdi de tons qui ne révélaient pas au dehors leur mutuelle dépendance intime.

Maman amenait les petits tiroirs qui tous étaient vides.
« Ah, des roses », disait-elle et se penchait un peu vers la trouble odeur qui ne s'épuisait pas. Elle se figurait toujours que quelque chose encore pouvait tout à coup se retrouver dans un casier secret auquel personne n'avait pensé et qui ne s'ouvrait qu'à une pression sur quelque ressort caché. « Cela va se déclencher tout à coup, tu verras », disait-elle, grave et inquiète, et ouvrait en hâte tous les tiroirs. Mais tout ce que réellement elle avait trouvé de papiers dans les casiers, elle l'avait soigneusement plié et enfermé sans le lire. « Je n'y comprendrais quand même rien, Malte ; sûrement, ce serait trop difficile pour moi. » Elle était convaincue que tout était trop difficile pour elle. « Dans la vie, il n'y pas de classes pour les débutants ; c'est tout de suite le plus difficile qu'on exige de vous. » On m'affirmait qu'elle n'était ainsi que depuis la mort terrible de sa sœur la comtesse Ollegaard Skeel qui brûla vive, un soir de bal, comme elle redressait les fleurs de sa coiffure devant une glace à

candélabres. Mais dans les derniers temps Ingeborg lui paraissait de toutes choses la plus difficile à comprendre

Et maintenant je veux écrire cette histoire, telle que maman la racontait lorsque je l'en priais :

C'était au milieu de l'été, le jeudi qui suivit les funérailles d'Ingeborg. De l'endroit où nous prenions le thé sur la terrasse, on pouvait voir entre les ormes gigantesques s'élever le pignon de la sépulture de famille On avait disposé les tasses comme si jamais une personne de plus ne s'était assise à cette table, et tout autour nous avions pris place très à l'aise Comme chacun avait apporté, qui un livre, qui une corbeille à ouvrage, nous nous sentions même un peu à l'étroit. Abelone (la sœur cadette de maman) servait le thé, et tous l'aidaient, sauf ton grand-père qui regardait de son fauteuil vers la maison C'était l'heure où l'on attendait le courrier, et il arrivait le plus souvent qu'Ingeborg, retenue la dernière par les ordres qu'elle donnait pour le dîner, l'apportât. Durant les semaines de sa maladie nous avions eu largement le temps de nous déshabituer de sa venue : nous ne savions que trop bien qu'elle ne pouvait pas venir Mais cette après-midi-là, Malte, alors que vraiment elle ne pouvait plus venir... elle vint. Peut-être était-ce notre faute ; peut-être l'avions-nous appelée. Car je me souviens que tout à coup je me sentis assise là et m'efforçai de découvrir ce qu'il y avait de changé. Brusquement il me devenait impossible de le dire ; c'était complètement oublié. Je levai les yeux et vis les autres tournés vers la maison, non pas d'une façon particulière ou qui étonnait, mais très simplement, dans leur attente tranquille et quotidienne Et j'étais sur le point (Malte, j'ai froid quand j'y pense), j'étais — Dieu me garde, — sur le point de dire « Que devient donc ?... » quand déjà Cavalier, comme d'habitude, s'élança de dessous la table et bondit à sa rencontre. Je l'ai vu, Malte, je l'ai vu. Il courut vers elle bien qu'elle ne vînt pas : pour lui elle venait. Nous comprîmes qu'il courait à sa rencontre. Par deux fois il se retourna vers nous, comme pour interroger. Puis il se rua sur elle, comme toujours, Malte, exactement comme il avait toujours fait ; et il la rejoignit, car il commença à sauter en rond, autour de quelque chose qui n'était pas là, et puis à monter le long d'elle, tout droit, pour la lécher. Nous l'entendions qui de joie poussait des petits jappements gémissants, et de la façon dont il bondissait en l'air, très vite et sans arrêt, on aurait vraiment pu croire qu'il nous la cachait par ses gambades. Mais tout d'un coup il y eut un hurlement, et son propre élan le fit pirouetter et retomber en arrière, avec une bizarre maladresse ; et il resta étendu devant nous, étrangement, et ne bougea plus. Le domestique sortit de l'autre aile de la maison avec les lettres. Il hésita un instant ; sans doute n'était-il pas aisé de s'approcher de nos visages. Et déjà ton père lui faisait signe de rester là. Ton père, Malte, n'aimait aucune bête ; mais cette fois, lentement, me semblait-il, il alla pourtant vers le chien et se baissa vers lui. Il dit un mot au domestique, un ordre bref. Je vis celui-ci se précipiter pour ramasser Cavalier. Mais ton père lui-même prit alors l'animal et l'emporta, comme s'il savait exactement où, dans la maison.

Un jour que, durant ce récit, l'obscurité s'était presque faite, je fus sur le point de raconter à maman l'histoire de *la main* : à cet instant j'aurais pu la lui dire. Déjà j'ouvrais la bouche pour parler, lorsque je me rappelai soudain combien j'avais compris que le domestique n'eût pu s'avancer vers leurs visages. Et j'eus peur, malgré l'obscurité, du visage que maman prendrait quand elle verrait ce que j'avais vu. Et vite je repris haleine comme si je n'avais eu d'autre propos. Quelques années plus tard, après l'étrange nuit passée dans la galerie d'Urne-kloster, je projetais pendant des journées entières de me confier au petit Erik. Mais depuis notre conversation nocturne il s'était complètement isolé de moi ; il m'évitait, je crois même qu'il me méprisait. Et c'est pour cela précisément que je voulais lui raconter *la main*. Je m'imaginais que je gagnerais son estime (ce que je souhaitais très fort, je ne sais pourquoi), si je parvenais à lui faire saisir que j'avais vraiment vécu cela. Mais Erik était si habile à m'éluder que nous ne touchâmes jamais ce sujet. Nous partîmes du reste peu de temps après. Et c'est ainsi que — chose assez étrange en vérité — je raconte aujourd'hui pour la première fois (et ce n'est après tout que pour moi-même) une aventure qui remonte au plus lointain de mon enfance.

Combien petit je devais être encore, je le vois à ceci que j'étais à genoux sur le fauteuil pour atteindre plus commodément à hauteur de la table sur laquelle je dessinais. C'était le soir, en hiver, si je ne fais erreur, dans notre appartement, en ville. La table se trouvait entre les fenêtres de ma chambre, et il n'y avait d'autre lampe dans la pièce que celle qui éclairait mes feuillets et le livre de Mademoiselle : car Mademoiselle était assise à côté de moi, un peu en retrait, et lisait. Elle était très loin quand elle lisait, et je ne sais pas si c'était dans son livre ; elle pouvait lire, de longues heures durant, elle tournait rarement les pages, et j'avais l'impression que sous ses yeux les pages devenaient sans cesse plus pleines, comme si son regard y faisait naître des mots nouveaux, certains mots dont elle avait besoin et qui n'étaient pas là. J'imaginais cela tandis que je dessinais. Je dessinais lentement, sans intention bien arrêtée, puis lorsque je ne savais plus comment continuer, je regardais mon dessin, la tête légèrement penchée à droite ; dans cette position je découvrais le plus vite ce qui manquait encore. C'étaient des officiers à cheval qui galopaient à la bataille, ou qui étaient engagés déjà dans la mêlée, ce qui était beaucoup plus simple, parce qu'il suffisait alors de dessiner la fumée qui les enveloppait. C'est vrai que maman prétendait toujours que je n'avais jamais peint que des îles ; des îles avec de grands arbres et un château et un escalier et, sur le rivage, des fleurs qui se miraient dans l'eau. Mais je crois qu'elle inventait ou que ce n'était que plus tard.

Il est de fait que ce soir-là je dessinais un chevalier, un seul chevalier bien distinct sur un cheval bizarrement caparaçonné. Il devenait si bariolé que je devais souvent changer de crayon ; le rouge cependant dominait et je le reprenais à tout moment. Une fois de plus j'allais m'en servir, lorsqu'il roula (je le vois encore) obliquement sur ma feuille éclairée jusqu'au bord de la table et avant que j'eusse pu l'arrêter, tomba à côté de moi et disparut. J'en avais vraiment besoin et j'étais ennuyé de devoir descendre à sa poursuite. Avec ma maladresse, cela n'allait pas sans toutes sortes de complications ; mes jambes me paraissaient beaucoup trop longues et je ne parvenais plus à les ramener de dessous moi ; cet agenouillement prolongé avait engourdi mes membres ; je ne savais pas trop ce qui m'appartenait et ce qui était le fauteuil. Je finis cependant par débarquer en bas, et confusément je me retrouvai sur une peau de bête qui s'étendait sous la table et jusqu'au mur. Mais là surgit une nouvelle difficulté. Habitués à la clarté d'en haut, tout éblouis encore par l'éclat des couleurs sur le papier blanc, mes yeux ne parvenaient pas à discerner le moindre objet sous la table, où le noir m'apparaissait si clos que j'avais peur de m'y

cogner. Je m'en remis donc à mon toucher et, agenouillé,
en m'appuyant sur la main gauche, je peignai de l'autre
les longs poils frais du tapis dont le contact aussitôt me
parut familier ! Mais toujours pas le moindre crayon !
Déjà je me figurais avoir perdu un temps considérable et
j'allais appeler Mademoiselle pour la prier d'approcher la
lampe, quand je remarquai qu'à mes yeux, qui malgré
moi s'étaient adaptés, l'obscurité se faisait plus transparente. Déjà je distinguais le mur du fond que bordait une
plinthe claire ; je m'orientais entre les pieds de la table , et
d'abord je reconnaissais ma propre main étendue, les
doigts écartés, qui remuait toute seule, presque comme
une bête aquatique, et palpait le fond. Je la regardais
faire, il m'en souvient, presque avec curiosité ; elle me
paraissait connaître des choses que je ne lui avais jamais
apprises, à la voir tâtonner là-dessous, à son gré, avec des
mouvements que je ne lui avais jamais observés. Je la
suivais à mesure qu'elle avançait, je m'intéressais à son
manège et me préparais à voir je ne sais quoi. Mais
comment aurais-je pu m'attendre à ce que, sortant du
mur, tout à coup une autre main vînt à ma rencontre, une
main plus grande, extraordinairement maigre et telle que
je n'en avais encore jamais vu. Elle tâtonnait, venant de
l'autre côté, de la même manière, et les deux mains
ouvertes se mouvaient à la rencontre l'une de l'autre,
aveuglément. Ma curiosité était loin d'être satisfaite, mais
brusquement elle céda et fit place à la terreur. Je sentais
qu'une de ces mains m'appartenait et qu'elle s'enfonçait
dans une aventure irréparable. De toute l'autorité que je
gardais sur elle, je la retins et la ramenai vers moi,
étendue à plat et lentement, sans quitter des yeux l'autre
main qui continuait de tâtonner. Je compris qu'elle
n'allait pas s'en tenir là ; et je ne puis pas dire comment je
remontai. J'étais maintenant enfoncé profondément dans

le fauteuil, mes dents claquaient et j'avais si peu de sang
au visage qu'il me semblait n'avoir plus de bleu dans les
yeux. « Mademoiselle », voulais-je dire et ne pouvais
plus. Mais elle-même alors s'alarma, rejeta son livre, et
s'agenouilla à côté de mon fauteuil en criant mon nom ; je
crois qu'elle me secoua. Mais j'avais toute ma conscience.
J'avalai plusieurs fois ma salive, et j'allais lui raconter...

Mais comment ? Je fis un effort indescriptible sur moi-
même, mais il n'était pas possible d'exprimer cela de
façon que l'on comprît. S'il existait des mots pour un tel
événement, j'étais trop petit pour les trouver. Et soudain
me saisit l'angoisse : que ces mots, bien qu'au-dessus de
mon âge, pussent cependant m'apparaître tout à coup, et
que je fusse alors obligé de les dire, cela me parut plus
terrible que tout. Cette chose, là-bas, si réelle, la vivre
encore une fois, conjuguée depuis le commencement ;
m'entendre l'admettre — de cela, vraiment, je n'avais
plus la force.

C'est de l'imagination, bien entendu, d'aller prétendre
à présent que, en ce temps-là déjà, j'aurais pu sentir que
quelque chose venait d'entrer dans ma vie, justement
dans la mienne, quelque chose avec quoi j'allais devoir
m'en aller seul, toujours et toujours. Je me revois couché
dans mon petit lit-cage, ne dormant pas, pressentant
confusément qu'ainsi serait la vie : pleine de choses tout
étranges, destinées à un seul et qui ne se laissent pas dire.
Il est certain que peu à peu un triste et lourd orgueil
grandit en moi. J'imaginais que l'on pourrait aller et
venir, plein de secrets et silencieux. Je ressentais une
fougueuse sympathie pour les grandes personnes ; je les
admirais et me proposai de le leur dire. Je me proposai de
le dire à Mademoiselle à la prochaine occasion.

Et c'est alors que survint une de ces maladies qui tentaient de me prouver que ne n'était pas là ma première aventure personnelle. La fièvre fouillait en moi et tirait du plus profond des expériences, des images, des faits que j'avais ignorés jusque-là ; j'étais écrasé par moi-même, et j'attendais l'instant où l'on me commanderait de ranger de nouveau tout cela en moi, soigneusement et dans l'ordre. Je commençais, mais cela grandissait dans mes mains, se raidissait ; il y en avait trop. Alors la colère s'emparait de moi et j'enfouissais tout, pêle-mêle, et le comprimais ; mais je ne pouvais pas me refermer par-dessus. Et je criais alors, à moitié ouvert, je criais et criais. Et quand je commençais à regarder hors de moi-même, ils étaient depuis longtemps debout autour de mon lit et me tenaient les mains, et une bougie était là, et leurs grandes ombres remuaient derrière eux. Et mon père m'ordonna de dire ce qu'il y avait. C'était un ordre amical, donné à mi-voix, mais c'était un ordre quand même. Et il s'impatientait parce que je ne répondais pas.

Maman ne venait jamais la nuit..., ou bien si, pourtant, elle vint une fois. J'avais crié et crié, et Mademoiselle était venue, et Sierversen, la femme de charge, et Georg, le cocher ; mais tout cela n'avait servi à rien. Et ils avaient alors enfin envoyé la voiture pour ramener mes parents qui étaient à un grand bal, je crois chez le prince héritier. Et tout à coup j'entendis un roulement dans la cour, et je me tus, me mis sur mon séant et regardai vers la porte. Et il y eut un léger bruissement dans les chambres voisines et maman entra dans sa grande robe d'atour dont elle ne prenait même plus soin et elle courait presque et laissa tomber derrière elle sa fourrure blanche et me pris dans ses bras nus. Et je tâtai, étonné et ravi comme jamais, ses cheveux et sa petite figure lisse, et les pierres froides à ses

oreilles et la soie au bord de ses épaules qui sentaient les
fleurs. Et nous restâmes ainsi et pleurâmes tendrement et
nous embrassâmes, jusqu'à ce que nous sentîmes que
mon père était là et qu'il fallait nous séparer. « Il a
beaucoup de fièvre », dit maman timidement, et mon
père me prit la main et compta les battements du pouls. Il
était en uniforme de capitaine des chasses avec le large et
beau ruban bleu ondé de l'ordre de l'Éléphant. « Quelle
stupidité de nous avoir fait appeler », dit-il tourné vers la
chambre sans me regarder. Ils avaient promis de revenir
si le cas n'avait rien de grave. Et en effet, il n'était pas
bien grave. Sur ma couverture je trouvai le carnet de bal
de maman et des camélias blancs comme je n'en avais
jamais vu et que je posai sur mes yeux, lorsque je sentis
combien ils étaient frais.

Mais ce qui durant de telles maladies ne prenait jamais
fin, c'étaient les après-midi. Le matin, après la nuit
mauvaise, on tombait toujours en sommeil et lorsqu'on
s'éveillait et qu'on croyait qu'il allait de nouveau faire
matin, c'était l'après-midi et restait l'après-midi et ne
cessait pas d'être l'après-midi. Et l'on était étendu dans
son lit rafraîchi et l'on grandissait peut-être un peu dans
les articulations et l'on était beaucoup trop fatigué pour
imaginer quoi que ce fût. Le goût de la compote de
pomme durait longtemps, et c'était déjà beaucoup que de
l'interpréter involontairement et de laisser circuler en soi,
au lieu de pensées, cette sensation de propreté acidulée.
Plus tard, quand les forces revenaient, des coussins
étaient échafaudés derrière vous, et l'on pouvait s'asseoir
et jouer aux soldats ; mais ils tombaient si facilement sur
la table de lit penchée, et toujours aussitôt la file entière à

la fois ; et l'on n'était cependant pas encore assez complètement rentré dans la vie pour qu'on eût les forces de tout reprendre depuis le commencement. Subitement c'était trop et l'on priait qu'on vous enlevât tout cela bien vite, et il était bon de ne revoir de nouveau que les deux mains, un peu plus loin, sur la couverture vide.

Quand parfois maman passait à mon chevet une demi-heure à lire des contes (mais la lectrice habituelle et véritable était Sieversen), ce n'était pas pour l'amour des contes. Car nous étions d'accord sur ce point que nous n'aimions pas les contes. Nous avions une autre conception du merveilleux. Nous trouvions que lorsque tout se passait naturellement les choses étaient encore plus étranges. Nous aurions volontiers renoncé à être transportés à travers les airs ; les fées nous décevaient et nous n'attendions des métamorphoses qu'une variation très superficielle. Mais nous lisions pourtant un peu, pour paraître occupés ; il ne nous était pas agréable de devoir, lorsque quelqu'un entrait, expliquer d'abord ce que nous étions en train de faire. A l'égard de mon père surtout nous affichions nos occupations avec une évidence presque exagérée.

Et seulement quand nous étions tout à fait certains de n'être pas dérangés, et que, au-dehors, la nuit tombait, il pouvait arriver que nous nous abandonnassions à des souvenirs, à des souvenirs communs qui nous paraissaient à tous deux très anciens et dont nous souriions ; car depuis lors nous avions tous deux grandi. Nous nous rappelâmes qu'il y avait eu un temps où maman désirait que je fusse une petite fille et non pas ce garçon que, mon Dieu, oui, il fallait bien que je fusse. J'avais deviné cela, je ne sais plus comment, et j'avais eu la pensée de frapper quelquefois l'après-midi à la porte de maman. Quand elle demandait alors qui était là, j'étais tout heureux de répondre du

dehors : « Sophie », d'une voix que j'amenuisais si bien
qu'elle me chatouillait la gorge. Et lorsque j'entrais
ensuite (dans mon petit vêtement d'intérieur aux manches
relevées qui semblait presque un déshabillé de fillette),
j'étais tout simplement Sophie, la petite Sophie de
maman qui s'occupait dans le ménage et à laquelle sa
maman devait tresser une natte pour qu'il n'y eût pas
surtout de confusion avec le vilain Malte, si jamais il
revenait. Cela n'était du reste nullement désirable ; il
plaisait autant à maman qu'à Sophie que Malte fût
absent, et leurs conversations — que Sophie poursuivait
toujours de la même voie aiguë — consistaient surtout en
énumérations des méfaits de Malte dont ils se plaignaient
« Ah oui, ce Malte », soupirait maman. Et Sophie ne
tarissait pas sur la méchanceté des garçons, comme si elle
en avait connu un tas.

« Je voudrais bien savoir ce qu'est devenue Sophie »,
disait alors tout à coup maman au milieu de ces souvenirs.
Et là-dessus sans doute Malte ne pouvait pas la renseigner. Mais lorsque maman présumait que certainement
Sophie devait être morte, il la contredisait avec entête
ment et la conjurait de ne pas croire cela, bien qu'il ne fût
nullement capable de prouver le contraire.

Lorsque je réfléchis maintenant à cela je ne cesse de
m'étonner que je sois toujours revenu sauf, du monde de
ces fièvres, et que j'aie pu me refaire à cette vie si sociale
où chacun voulait être soutenu dans sa conscience d'être
parmi des objets et des êtres familiers, et où l'on apportait
tant d'application à rester dans l'intelligible. Attendait-on
quelque chose ? Cela venait ou ne venait pas, mais une
tierce solution était exclue. Il y avait des événements qui

étaient tristes, une fois pour toutes ; il y avait des choses agréables et il y en avait une foule d'accessoires. Que si l'on vous préparait une joie, c'était une joie et il fallait se conduire en conséquence. Au fond c'était très simple et pour peu qu'on eût trouvé la clef de cette manière d'être, tout allait de soi. Aussi bien tout entrait-il dans ces limites concertées ; les longues et monotones heures de classe, tandis que l'été était au-dehors ; les promenades qu'il fallait ensuite raconter en français ; les visites pour lesquelles on vous appelait et qui vous trouvaient drôle lorsqu'on était justement triste, qui s'amusaient de vous comme on se divertit de l'expression chagrine de certains oiseaux qui n'ont pas d'autre visage. Et les anniversaires, bien entendu, pour lesquels on vous gratifiait de petits invités qu'on connaissait à peine, d'enfants timides qui vous rendaient à votre tour timide, ou d'autres, hardis, qui vous griffaient la figure et vous brisaient ce que vous veniez de recevoir, pour ensuite s'en aller subitement lorsque tous les jouets, tirés de leurs caisses et de leurs boîtes, gisaient pêle-mêle... Mais lorsqu'on jouait seul, comme toujours, il pouvait cependant arriver qu'on franchît à l'improviste ce monde convenu et généralement inoffensif, et que l'on glissât dans des conditions toutes différentes et soudain incommensurables.

Mademoiselle avait par moments sa migraine qui s'affirmait toujours avec une rare violence, et c'étaient les jours auxquels il était difficile de me trouver. Je sais qu'on envoyait alors le cocher me chercher dans le parc quand, par hasard, mon père me demandait et que je n'étais pas là. D'en haut, d'une des chambres d'amis, je le voyais sortir en courant et m'appeler à l'entrée de la longue allée. Ces chambres d'amis se trouvaient, les unes à côté des autres, sous le pignon d'Ulsgaard, et restaient, parce que, en ce temps-là, nous ne recevions que rarement des visites, presque toujours vides. Mais à côté d'elles se trouvait ce grand réduit mansardé qui exerçait sur moi une si forte attraction. On n'y voyait qu'un vieux buste qui représentait, je crois, l'amiral Juel, mais, tout autour, les murs étaient garnis de placards profonds et sombres, disposés de telle façon que la fenêtre même était placée au-dessus d'eux dans le mur vide et blanchi à la chaux. J'avais trouvé à la porte de l'un des placards la clef qui l'ouvrait ainsi que tous les autres. Et j'avais donc en peu de temps tout examiné : les habits de chambellans du dix-huitième siècle, tout glacés par leur trame de fils d'argent, et leurs belles vestes brodées ; les tenues de l'ordre de Dannebrog et de l'Éléphant, si riches, si encombrantes et ouatées de doublures si douces au toucher qu'on les prenait d'abord pour des vêtements de femmes ; puis de vraies robes qui, soutenues par leurs panetières, pendaient, raides comme les marionnettes d'une pièce trop grande et si définitivement démodée qu'on avait employé à d'autres fins leurs têtes. Mais plus loin, il y avait des armoires qui paraissaient sombres lorsqu'on les ouvrait, obscurcies par les uniformes haut boutonnés, qui semblaient plus fatigués que tout le reste et qui, au fond, ne désiraient plus d'être conservés.

Personne ne trouvera étonnant que j'aie tiré tout cela au jour, que je l'aie incliné sous la lumière ; que j'aie appuyé ceci ou cela contre moi, ou que je l'aie jeté sur mes épaules ; que j'aie en toute hâte revêtu un costume qui pouvait peut-être me convenir, que, curieux et agité, j'aie aussitôt couru dans la chambre d'amis la plus voisine, devant l'étroit trumeau composé de fragments de vitre inégaux et de couleur verte. Ah, comme on tremblait d'y être et quelle exaltation lorsqu'on y était ! Lorsque quelque chose s'avançait du fond de son eau trouble, plus lentement que vous-même, car la glace n'y croyait encore qu'à moitié et, somnolente qu'elle était, ne voulait pas répéter tout de suite ce qu'on lui disait. Mais enfin il fallait bien qu'elle cédât. Et c'était alors une chose très surprenante, étrangère, tout autre que ce qu'on avait pensé, une chose soudaine, indépendante, qu'on parcourait d'un coup d'œil, pour cependant se reconnaître un instant après, non sans une nuance d'ironie qui, un peu plus, aurait pu détruire toute notre joie. Mais lorsqu'on commençait aussitôt à parler, à s'incliner, lorsqu'on se faisait de petits signes, tout en se retournant sans cesse, lorsqu'on s'éloignait, et qu'on revenait, décidé et très animé, on avait l'imagination avec soi tant qu'il vous plaisait de l'avoir.

J'éprouvai alors l'influence que peut, sans autre intervention, exercer sur nous une tenue déterminée. A peine avais-je endossé l'un de ces vêtements que je devais avouer qu'il me tenait en son pouvoir ; qu'il commandait mes mouvements, l'expression de mon visage, oui, jusqu'à mes idées ; ma main, sur laquelle tombait et retombait la manchette à dentelles, n'était nullement ma main habituelle ; elle se mouvait comme un acteur, oui, je pourrais même dire qu'elle se regardait faire, si exagéré que cela puisse paraître. Les déguisements n'étaient d'ailleurs pas poussés assez loin pour que je me sentisse devenir étranger à moi-même ; au contraire, plus diversement je me transformais, et plus j'étais pénétré de moi. Je devenais de plus en plus hardi ; je m'élançais plus haut ; car mon adresse à me ressaisir était indubitable. Je ne sentais pas la tentation qui me guettait sous cette impression vite croissante de sécurité. C'en fut fait de moi lorsque la dernière armoire, que j'avais cru jusque-là ne pas pouvoir ouvrir, céda un jour pour me livrer, au lieu de tenues bien déterminées, tout un vague attirail de mascarade dont le fantastique à peu près me chassait le sang à la

tête. Il n'y a pas moyen d'énumérer tout ce qui se trouvait
là. Outre une bautta dont je me souviens, il y avait des
dominos de différentes couleurs, il y avait des robes de
femmes où cliquetaient des piécettes cousues ; il y avait
des pierrots qui me semblaient bêtes et de larges pan-
talons turcs et des bonnets persants d'où s'échappaient
des sachets de camphre et des cercles dorés, garnis de
pierres stupides et inexpressives. Tout cela, je le mépri-
sais un peu ; c'était d'une si indulgente irréalité et cela
pendait là, si dépouillé et si pitoyable, et s'affaissait sans
volonté lorsqu'on le tiraillait au jour. Mais ce qui me
transportait dans une sorte d'ivresse, c'étaient les amples
manteaux, les étoffes, les châles, les écharpes, tous ces
grands tissus souples et inemployés qui étaient doux et
caressants, ou si lisses qu'on pouvait à peine les saisir, ou
si légers qu'ils passaient à côté de vous comme un vent, ou
simplement lourds de tout leur poids. C'est en eux
seulement que je distinguai des possibilités vraiment
libres et infiniment variables : être une esclave qu'on
vend, être Jeanne d'Arc, ou un vieux roi, ou un sorcier ;
tout cela, on le tenait en main, d'autant plus qu'il y avait
aussi des masques, de grands visages menaçants ou
étonnés, avec de vraies barbes et des sourcils épais ou
relevés. Jamais auparavant je n'avais vu de masques, mais
je compris aussitôt qu'il devait en exister. J'éclatai de rire
lorsque je me rappelai que nous avions un chien qui
semblait en porter un. Je me représentais ses yeux
affectueux, qui regardaient toujours comme venant d'un
autre visage, dans sa tête couverte de poils. Je riais encore
tandis que je me travestissais et j'en oubliai complètement ce que j'avais voulu figurer Allons, c'était neuf et
captivant de ne décider cela qu'ensuite devant la glace. Le
visage que je m'attachai avait une odeur singulièrement
creuse, il se posait étroitement sur le mien, — mais je

pouvais commodément voir au travers — et ce n'est que
lorsque le masque fut fixé que je choisis toutes sortes
d'étoffes que je roulai à la manière d'un turban autour de
ma tête, de telle façon que le bord du masque, qui
s'étendait en bas jusque dans l'immense manteau jaune,
était presque complètement caché sur le haut de la tête et
sur les côtés. Lorsque, enfin, je fus à bout d'invention, je
me tins pour suffisamment déguisé. Je saisis encore une
grande canne que je laissai marcher à mon côté aussi loin
que s'étendait mon bras, et c'est ainsi que, non sans
peine, mais, comme il me semblait, avec beaucoup de
dignité, je me traînai dans la chambre d'amis, vers la
glace.

Ce fut vraiment grandiose, au-delà de toute espérance.
La glace le reproduisit aussitôt : c'était par trop convain-
cant. Il était inutile de faire beaucoup de mouvements ;
cette apparition était parfaite, et sans que j'eusse à y
contribuer. Mais il s'agissait à présent d'apprendre qui
elle était, et je me tournai donc un peu et finis par lever
les deux bras ; de grands mouvements de conjuration,
c'était là, me semblait-il, ce qui convenait. Mais précisément, à cet instant solennel, j'entendis, assourdi par mon
déguisement, tout à côté de moi, un bruit multiple et
composé ; effrayé, je perdis de vue l'être, de l'autre côté
de la glace, et fus fort marri de voir que j'avais renversé
un guéridon rond, avec Dieu sait quels objets sans doute
très fragiles. Je me penchai tant bien que mal et vis mes
pires craintes confirmées : tout semblait s'être brisé. Bien
entendu, les deux inutiles perroquets en porcelaine vert-
violet étaient assommés, l'un plus méchamment que
l'autre. Une bonbonnière laissait rouler ses bonbons qui
semblaient des insectes dans leurs chrysalides de soie, et
avait rejeté très loin son couvercle : on n'en voyait qu'une
moitié, l'autre avait disparu. Mais le plus fâcheux, c'était

un flacon écrasé en mille petits éclats et d'où avait jailli le reste de je ne sais quelle essence ancienne qui formait à présent, sur le parquet, une tache d'une physionomie très repoussante. Je l'essuyai vite avec je ne sais quoi qui pendait autour de moi, mais elle n'en devint que plus noire et déplaisante. J'étais vraiment désolé. Je me levai et cherchai quelque objet qui me permît de réparer ce désastre. Mais je n'en trouvai point. J'étais également très gêné dans la vue et dans mes mouvements, de sorte que je sentis la colère monter en moi contre cet accoutrement absurde que je ne comprenais plus. Je me mis à tirailler de tous côtés, mais cela ne s'en resserrait que plus étroitement. Les ficelles du manteau m'étranglaient et l'étoffe appuyait sur ma tête comme s'il en ajoutait sans cesse de nouvelles. De plus, l'air était devenu trouble et s'était comme embué de la senteur vieillotte du liquide répandu.

Bouillant de colère, je m'élançai devant la glace et je suivis le travail de mes mains en regardant avec difficulté à travers le masque. Mais il n'attendait que cela. Le moment de la revanche était venu pour lui. Tandis que, dans une angoisse qui croissait sans mesure, je m'efforçais de m'évader en quelque façon de mon déguisement, il me contraignit par je ne sais quel moyen, à lever les yeux et m'imposa une image, non, une réalité, une étrange, incompréhensible et monstrueuse réalité qui me pénétrait malgré ma volonté : car à présent il était le plus fort et c'était moi le miroir. Je fixais ce grand et terrifiant inconnu devant moi et il me semblait fantastique d'être seul avec lui. Mais tandis que je pensais cela le pire arriva : je perdis toute conscience de moi, je cessai d'exister, tout simplement. Une seconde durant je ressentis un indicible et douloureux et inutile regret de moi-même, puis il ne resta plus que lui : il n'y avait rien hors de lui.

Je me sauvai, mais à présent c'était lui qui courait. Il se cognait partout, il ne connaissait pas la maison, il ne savait vers où se diriger ; il descendit un escalier, il culbuta dans le couloir sur quelqu'un qui se débattit en criant. Une porte s'ouvrit, plusieurs personnes parurent : Ah, qu'il était donc bon de les connaître ! C'étaient Sieversen, la bonne Sieversen, et la femme de chambre, et le garde-vaisselle ; maintenant la question allait être tranchée. Mais ils se gardaient bien de se jeter à votre secours ; leur cruauté était sans limites. Ils étaient là et riaient. Mon Dieu, comment pouvaient-ils donc rester là et rire ? Je pleurais, mais le masque ne laissait pas échapper les larmes, elles coulaient à l'intérieur, sur mon visage, et séchaient, et coulaient à nouveau et séchaient encore. Et, enfin, je m'agenouillai devant eux, comme personne ne s'est jamais agenouillé ; je m'agenouillai et j'élevai les mains vers eux et suppliai : « Sortez-moi si cela va encore et ne me rendez plus », mais ils n'entendaient rien ; je n'avais plus de voix.

Sieversen racontait jusqu'à sa mort comment j'étais tombé à la renverse et comment ils avaient continué de rire, croyant que cela faisait partie du jeu. Ils étaient habitués à cela de ma part. Mais ensuite j'étais resté étendu et je n'avais pas répondu. Et quelle frayeur lorsqu'ils découvrirent enfin que j'étais sans connaissance et que j'étais couché là comme un morceau de quelque chose au milieu de ces toiles, oui, comme un morceau !

Le temps s'écoulait avec une incalculable rapidité et puis, tout à coup, revenait l'époque où il fallait inviter le pasteur Docteur Jespersen. C'était alors un repas pénible et qui semblait aux deux parties interminable. Habitué à la société très pieuse qui, par égard pour lui, se dissolvait entièrement, le pasteur n'était pas chez nous dans son élément ; il était en quelque sorte jeté sur la terre ferme et manquait d'air. La respiration au moyen des branchies qu'il avait développées en lui s'opérait difficilement ; des bulles se formaient, et tout cela n'allait pas sans danger. De sujets de conversation, je dois dire, pour être exact, qu'il n'y en avait pas du tout ; on soldait des restes à des prix invraisemblables ; c'était une liquidation de tous les stocks. Docteur Jespersen devait se contenter d'être chez nous une sorte d'homme privé ; c'est-à-dire précisément ce qu'il n'avait jamais été. Il était, aussi haut qu'on pouvait remonter dans le passé, spécialiste du rayon de l'âme. L'âme était pour lui une institution publique qu'il représentait, et il réussissait à n'être jamais hors de service commandé, même pas dans ses rapports avec sa femme : « Sa modeste et fidèle Rebecca sanctifiée par l'enfantement », comme Lavater s'exprime dans un autre cas.

[[1]](#) En ce qui concerne mon père, son attitude à l'égard de Dieu était d'une parfaite correction et d'une irréprochable courtoisie. A l'église il me semblait parfois, à le voir debout, en attente ou légèrement penché, qu'il se trouvait justement être capitaine des chasses au service de Dieu. Quant à maman, il lui semblait presque offensant que quelqu'un pût entretenir avec Dieu des rapports de politesse. Si le hasard lui avait donné une religion aux rites expressifs et compliqués, dans quelle félicité se serait-elle, pendant des heures entières, agenouillée ou jetée par terre, ou aurait-elle, de façon large et circons-

1. Ecrit en marge du manuscrit.

tanciée, fait le signe de la croix en se touchant la poitrine et les épaules. Elle ne m'enseignait pas vraiment à prier, mais c'était pour elle un apaisement de savoir que je m'agenouillais volontiers, que je joignais les mains, tantôt en entre-croisant les doigts, tantôt en les appuyant les uns contre les autres, selon que je le trouvais plus ou moins expressif. Assez abandonné à moi-même, je traversai de bonne heure une série de phases que je ne rapportai que beaucoup plus tard à Dieu, dans un moment de désespoir, et cela avec une telle violence qu'il se forma et se défit presque au même instant. Il est évident que je dus tout recommencer depuis le début. Et pour ce début, je croyais parfois avoir besoin de maman, quoiqu'il valût naturellement mieux que je le vécusse seul. Et c'est vrai qu'elle était alors déjà morte depuis longtemps.]

A l'égard du docteur Jespersen, maman pouvait montrer une vivacité qui touchait presque à l'exubérance. Elle engageait avec lui une conversation qu'il prenait au sérieux, puis, dès qu'il s'écoutait parler, elle croyait avoir assez fait et l'oubliait aussi complètement que s'il était déjà reparti. « Comment donc peut-il, disait-elle parfois de lui, aller et venir et entrer chez les gens tandis qu'ils meurent ? »

Il vint aussi chez elle en cette occasion, mais elle ne l'a sûrement plus vu. Ses sens moururent l'un après l'autre, en premier lieu la vue. C'était en automne, nous devions partir pour la ville, mais elle tomba malade, ou plutôt elle commença tout de suite à mourir, à mourir lentement et tristement, de toute sa surface. Les médecins vinrent, et un certain jour ils furent là tous à la fois et régnèrent sur la maison. Pendant quelques heures il semblait qu'elle n'appartînt plus qu'au professeur et à ses assistants et qu'eux seuls eussent des ordres à donner. Mais aussitôt après, ils se désintéressèrent de tout et ne vinrent plus que par pure politesse, un à un, pour accepter un cigare ou un verre de porto. Et, pendant ce temps, maman mourait.

On n'attendait plus que l'unique frère de maman, le comte Christian Brahe, qui, on se le rappelle, avait été pendant quelque temps au service de la Turquie, où il avait reçu, comme on disait toujours, de grandes distinctions. Il vint un matin, accompagné d'un domestique étranger, et je fus surpris de voir qu'il était plus grand que mon père et semblait le plus âgé. Les deux hommes échangèrent aussitôt quelques paroles qui avaient, je suppose, trait à maman. Il y eut une pause. Puis mon père dit : « Elle est très défigurée. » Je ne compris pas cette expression, mais je frissonnai en l'entendant. J'avais l'impression que mon père avait dû se surmonter pour la prononcer. Mais c'était sans doute surtout son orgueil qui souffrait de cet aveu.

Plusieurs années après j'entendis de nouveau parler du comte Christian. Cela se passait à Urnekloster et c'était Mathilde Brahe qui aimait à parler de lui. Je suis cependant certain qu'elle avait arrangé les différents épisodes à sa manière, car la vie de mon oncle, dont l'opinion publique et même la famille n'étaient informées que par des racontars qu'il dédaignait de confondre, ouvrait un champ vraiment infini aux interprétations. Urnekloster est maintenant sa propriété. Mais personne ne sait s'il l'habite. Peut-être voyage-t-il encore toujours, comme c'était son habitude. Peut-être la nouvelle de sa mort, écrite de la main du domestique étranger, en mauvais anglais ou en quelque langue inconnue, quitte-t-elle en ce moment je ne sais quel continent lointain. Peut-être aussi cet homme ne donnera-t-il même pas signe de vie, s'il doit quelque jour survivre seul à son maître. Peut-être tous les deux ont-ils disparu depuis longtemps et sont encore inscrits sur la liste des passagers d'un bateau perdu en mer, sous des noms qui n'étaient pas les leurs.

A Unekloster, lorsqu'une voiture entrait dans la cour, je m'attendais toujours à le voir arriver, et mon cœur en battait bizarrement. Mathilde Brahe assurait qu'il venait ainsi, que telle était sa singularité d'être là subitement lorsqu'on croyait le moins que ce fût possible. Il ne vint jamais, mais mon imagination était occupée de lui des semaines durant; j'avais le sentiment que nous nous devions d'entretenir des rapports, et j'aurais beaucoup aimé à savoir sur lui des choses vraies.

Lorsque peu après mon intérêt changea d'objet et se porta, à la suite de certains événements, tout entier sur Christine Brahe, je ne m'efforçai pas, chose singulière, de connaître les circonstances de sa vie. En revanche la pensée m'inquiétait de savoir si son portrait existait dans la galerie. Et le désir d'établir cela augmentait de façon si exclusive et tourmenteuse que, pendant plusieurs nuits de suite je ne dormais pas, jusqu'à ce que vînt, très inopinément, celle où, un peu malgré moi, je me levai et montai en portant ma lumière qui semblait avoir peur.

Pour ma part je ne pensais pas à la peur. Je ne pensais pas du tout : j'allais. Les hautes portes s'effaçaient en jouant derrière, devant moi, au-dessus de moi; les chambres que je traversais se tenaient coites. Et enfin je compris à la profondeur qui me baignait que j'étais entré dans la galerie. Je sentis à ma droite les fenêtres, avec leur nuit, et à gauche devaient se trouver les tableaux. Je levai mon lumignon aussi haut que je le pus. Oui : les tableaux étaient là.

D'abord je ne voulus regarder que les femmes. Mais

bientôt j'en reconnus un : et un autre encore dont le
pendant était à Ulsgaard, et lorsque je les éclairais d'en
bas ils remuaient et voulaient venir à la lumière, et il me
semblait cruel de ne pas au moins leur en laisser le temps.
Il y avait toujours là Christian IV, avec sa belle cadenette
tressée à côté de sa joue large, doucement bombée. Il y
avait sans doute ses femmes, dont je ne connaissais que
Kristine Munk ; et subitement Mme Ellen Marsvin me
regardait, l'air soupçonneux dans ses vêtements de veuve,
avec le même rang de perles, sur le crêpe du haut
chapeau. Il y avait là les enfants du roi Christian : des
enfants toujours plus frais de femmes toujours nouvelles,
l'« incomparable » Éléonore, sur une haquenée blanche,
dans sa plus belle époque, avant son temps d'épreuves.
Les Gyldenlöve : Hans Ulrik dont les femmes espagnoles
disaient qu'il se teignait le visage, tant il était plein de
sang ; et Ulrik Christian que l'on ne pouvait plus oublier.
Et presque tous les Ulfeld. Et celui-ci, avec son œil peint
en noir, pouvait bien être Henrik Holk qui fut à trente-
huit ans comte de l'empire et feld-maréchal, et c'était
arrivé ainsi : il rêva, tandis qu'il allait chez la demoiselle
Hilleborg Krafse, qu'on lui donnait, au lieu de sa fiancée,
une épée nue : et il prit ce songe à cœur et rebroussa
chemin et commença sa vie brève et hardie dont la peste
fut le terme. Je les connaissais tous. Et nous avions aussi à
Ulsgaard les délégués du congrès de Nimègue qui se
ressemblaient un peu, parce qu'ils avaient été peints tous
à la fois, chacun avec la même petite moustache coupée,
semblable à un sourcil, sur une bouche sensuelle qui
semblait presque jeter un regard. Il va de soi que je
reconnus le duc Ulrik, et Otto Brahe, et Claus Daa et
Sten Rosensparre, le dernier de sa race ; car d'eux tous
j'avais vu des portraits dans la salle d'Ulsgaard, ou j'avais

trouvé dans de vieux albums des gravures en taille-douce qui les représentaient.

Mais il y en avait ensuite beaucoup d'autres que je n'avais jamais vus ; peu de femmes, mais il y avait là des enfants. Mon bras était depuis longtemps fatigué et tremblait, mais je levais cependant toujours la lumière pour voir les enfants. Je les comprenais, ces petites filles qui portaient un oiseau sur la main et l'oubliaient. Parfois un petit chien était assis près d'elles, une pelote était là et, sur la table voisine, il y avait des fruits et des fleurs ; et derrière elles, à la colonne, pendait, petit et tout provisoire, le blason des Grubbe, des Bille ou des Rosenkrantz. On avait amassé autour d'elles une foule de choses, comme si autant de torts qu'on avait eus devaient être réparés. Mais elles étaient debout, simplement, dans leurs vêtements, et attendaient ; on voyait qu'elles attendaient. Et cela me faisait de nouveau songer aux femmes, et à Christine Brahe, et je me demandais si je la reconnaîtrais.

Je voulus vite courir jusqu'au fond de la galerie et revenir de là en cherchant, lorsque subitement je me heurtai à quelque chose. Je me retournai si brusquement que le petit Erik se rejeta en arrière et chuchota :

— Prends garde à ta lumière.

— Tu es là ? dis-je hors d'haleine, et je n'étais pas très sûr que ce fût bon ou très mauvais signe. Ma lumière vacillait, et je ne distinguai pas bien l'expression de son visage. C'était peut-être plutôt mauvais signe qu'il fût là. Mais il s'approcha de moi et me dit :

— *Son* portrait n'est pas là ; nous le cherchons encore toujours en haut.

De sa voix basse et de son œil mobile, il désigna je ne sais quoi vers en haut. Et je compris qu'il voulait parler du grenier. Mais j'eus tout à coup une pensée singulière.

— Nous ? demandai-je, est-elle donc en haut ?

— Oui, fit-il en hochant la tête et il resta debout tout à côté de moi.

— Elle aide à chercher ?

— Oui, nous cherchons.

— On a donc enlevé son portrait ?

— Oui, figure-toi, dit-il indigné.

Mais je ne comprenais pas trop ce qu'elle voulait en faire.

— Elle veut se voir, souffla-t-il à mes oreilles.

— Ah oui, fis-je, comme si je comprenais. Alors il éteignit ma lumière. Je le vis s'étirer en avant dans la clarté, les sourcils remontés. Puis il fit sombre. Malgré moi je reculai d'un pas.

— Que fais-tu donc ? criai-je à mi-voix, et j'avais la gorge desséchée. Il sauta vers moi, se pendit à mon bras et eut un petit rire étouffé.

— Qu'y a-t-il donc ? le rudoyai-je, et je voulus me dégager, mais il tint bon. Je ne pus empêcher qu'il étendît son bras autour de ma nuque.

— Dois-je te le dire, souffla-t-il entre ses dents, et un peu de salive m'aspergea l'oreille.

— Oui, oui, vite.

Je ne savais trop ce que je disais. Il m'étreignit en s'étirant.

— Je lui ai porté une glace, dit-il et il gloussa de nouveau son petit rire.

— Une glace ?

— Mais oui, puisque son portrait n'est pas là.

— Non, non, fis-je.

Il me tira tout à coup un peu plus près de la fenêtre, et me pinça l'avant-bras si fort que je poussai un cri.

— Elle n'est pas dedans, me souffla-t-il à l'oreille.

Je le repoussai involontairement ; quelque chose craqua en lui ; il me sembla que je l'avais brisé.

— Va, va, — à présent j'en devais rire moi-même. Pas dedans ? Comment cela, pas dedans ?

— Tu es bête, répliqua-t-il, et il cessa de chuchoter. Sa voix avait changé de registre comme s'il abordait une pièce nouvelle, encore inédite. Ou bien on est dedans, serina-t-il avec une gravité soudaine et un accent de grande personne, et par conséquent on n'est pas ici ; ou bien on est ici, et on ne peut pas être dedans.

— Bien entendu, répondis-je vite, sans réfléchir. J'avais peur qu'il ne pût s'en aller et me laisser seul. J'étendis même la main en avant pour le toucher.

— Veux-tu que nous soyons amis ? lui proposai-je. Il se fit prier.

— Cela m'est bien égal, répondit-il, effronté.

Je tentai d'inaugurer notre amitié, mais je n'osais pas le serrer dans mes bras.

— Mon cher Erik, articulai-je, et je l'effleurai à peine, n'importe où. Je me sentis tout à coup très las. Je me retournai ; je ne comprenais plus comment j'étais venu jusqu'ici et comment je l'avais pu sans prendre peur. Je ne savais pas trop où étaient les fenêtres et où, les tableaux, et lorsque nous repartîmes, il dut me conduire.

— Ils ne te feront rien, assurait-il généreusement et riait de nouveau.

Mon cher, cher Erik ; peut-être as-tu quand même été mon seul ami. Car je n'en ai jamais eu. Quel dommage que tu aies fait si peu de cas de l'amitié. J'aurais voulu te raconter bien des choses. Peut-être nous serions-nous accordés. On ne peut pas savoir. Je me rappelle qu'on faisait alors ton portrait. Grand-père avait fait venir quelqu'un qui te peignait. Tous les matins pendant une heure. Je ne me rappelle plus la tête de ce peintre, j'ai oublié son nom, bien que Mathilde Brahe le répétât à tout moment.

T'a-t-il vu comme je te vois ? Tu portais un costume en velours de couleur héliotrope. Mathilde Brahe adorait ce costume. Mais qu'importe cela à présent ? Je voudrais seulement savoir s'il t'a vu. Supposons qu'il ait été un véritable peintre. Supposons qu'il n'ait pas pensé que tu pourrais mourir, avant qu'il eût terminé ; qu'il n'ait pas du tout envisagé son travail sous un angle sentimental ; qu'il ait simplement travaillé. Que la dissemblance de tes deux yeux bruns l'ait ravi ; qu'il n'ait pas eu un seul instant honte de ton œil immobile ; qu'il ait eu la délicatesse de ne rien ajouter sur la table, près de ta main, qui peut-être s'appuyait légèrement. Supposons tout le reste encore qui est nécessaire, et admettons-le : il y aurait alors un portrait, ton portrait dans la galerie d'Urnekloster, un portrait qui serait le dernier.

[Et lorsqu'on est déjà sur le point de partir et que l'on a tout vu, il y a encore là un enfant. Un instant, qui est-ce ? Un Brahe. Vois, de sable au pal d'argent, et les plumes de paon au cimier. Et voici aussi le nom : Erik Brahe. N'est-ce pas un Erik Brahe qui a été condamné à mort ? Parbleu, oui, bien entendu, qui ignore cela ? Mais il ne peut sans doute s'agir de lui. Cet enfant est mort tout jeune, peu importe quand. Ne le vois-tu pas ?]

Lorsqu'il y avait des visites et qu'on appelait Erik, Mlle Mathilde Brahe assurait chaque fois qu'il ressemblait singulièrement à la vieille comtesse Brahe, ma grand-mère. On dit qu'elle fut une très grande dame. Je ne l'ai pas connue. En revanche je me rappelle fort bien la mère de mon père, la véritable maîtresse d'Ulsgaard. Elle avait sans doute toujours gardé sa place bien qu'elle en voulût à maman d'être entrée dans la maison comme l'épouse du capitaine des chasses. Depuis lors elle faisait semblant de s'effacer de plus en plus et renvoyait pour chaque détail les domestiques à maman, mais lorsqu'il s'agissait d'affaires importantes elle tranchait et disposait tranquillement, sans rendre compte à personne de ses décisions. Je crois bien d'ailleurs que maman ne désirait pas qu'il en fût autrement. Elle était si peu faite pour surveiller une grande maisonnée ; elle était incapable de distinguer les choses qui avaient de l'importance de celles qui n'en avaient pas.

A l'instant où on lui parlait d'une chose, celle-ci devenait tout pour maman, et elle en oubliait le reste, alors que cependant il ne cessait pas d'exister. Elle ne se plaignait jamais de sa belle-mère. Et à qui s'en serait-elle plainte ? Père était un fils très respectueux, et grand-père n'avait que peu à dire.

Mme Margarete Brigge, aussi loin qu'il m'en souvient, avait toujours été une vieille femme inabordable et très haute de taille. Je ne peux admettre qu'elle n'ait été beaucoup plus âgée que le chambellan. Elle vivait sa vie au milieu de nous, sans prendre d'égards pour personne. Elle n'avait besoin de personne, et avait toujours une sorte de dame de compagnie, une certaine comtesse Oxe, déjà vieille et qu'elle avait, par je ne sais quel bienfait, infiniment obligée. Ce devait être d'ailleurs une exception remarquable dans sa vie, car les bienfaits d'habitude n'entraient pas dans sa manière. Elle n'aimait pas les enfants, et les animaux n'osaient pas l'approcher. Je ne sais si elle aimait quelque autre chose. On racontait

qu'elle avait aimé comme jeune fille le beau Félix
Lichnowski qui mourut à Francfort en des circonstances si
cruelles. Et en effet, après sa mort, on trouva un portrait
du prince, qui, si je ne me trompe, a été rendu à la
famille. Peut-être, songé-je à présent, oubliait-elle dans
cette vie retirée et rustique qu'avait fini par devenir, de
plus en plus, la vie à Ulsgaard, un autre genre d'existence
plus brillant, et qui lui eût naturellement convenu. Il est
difficile de dire si elle regrettait ce dernier. Peut-être le
méprisait-elle, parce qu'il n'était pas venu, parce que
cette vie-là avait manqué l'occasion d'être vécue avec
talent et habileté. Mme Margarete Brigge avait refoulé
cela au fond d'elle-même et l'avait recouvert de plusieurs
couches, dures, à l'éclat un peu métallique, et dont le
contact éveillait toujours une sensation de fraîcheur et de
nouveauté. Parfois cependant sa naïve impatience la
trahissait lorsque par exemple on ne lui prêtait pas une
attention suffisante ; de mon temps il arrivait alors
subitement à table qu'elle avalât de travers, de quelque
manière clairement visible et compliquée qui l'assurait de
l'intérêt attentif de tous, et, pour un instant du moins, la
faisait paraître aussi sensationnelle et captivante qu'elle
eût voulu l'être en grand. Cependant je crois que mon
père était le seul qui prît au sérieux ces incidents trop
fréquents. Il la regardait, poliment penché en avant, on
lisait sur son visage qu'il lui offrait en quelque sorte en
pensée et sans réserve son propre gosier au fonctionne-
ment normal. Bien entendu le chambellan avait lui aussi
cessé de manger ; il prenait une petite gorgée de vin et
s'abstenait de toute observation.

Une seule fois il avait soutenu à table son opinion à
l'encontre de celle de sa femme. Il y avait longtemps de
cela ; mais on répétait quand même toujours cette histoire, malicieusement et en secret ; il y avait presque

partout quelqu'un qui ne l'avait pas encore entendue. On prétendait que, à une certaine époque, la femme du chambellan pouvait s'emporter à cause d'une simple tache de vin sur la nappe, et qu'une telle tache, à quelque occasion qu'on s'en fût rendu coupable, ne lui échappait jamais et était aussitôt en quelque sorte révélée à tous par le blâme très violent qu'elle déversait sur son auteur. Pareille chose était arrivée un jour qu'on avait pour hôtes plusieurs personnages de marque. Quelques innocentes taches dont elle exagéra l'importance servirent de prétexte à des accusations sarcastiques, et grand-père avait beau s'efforcer de la rappeler à l'ordre par de petits signes et des interruptions facétieuses, elle poursuivait avec entêtement ses reproches qu'elle dut, il est vrai, l'instant d'après, interrompre au milieu de sa phrase. Il arriva en effet une chose inouïe et tout à fait incompréhensible. Le chambellan s'était fait donner le vin rouge qui faisait justement le tour de la table et, au milieu de l'attention générale, il était en train de remplir son verre lui-même. Sauf que, chose étrange, il ne cessa pas de verser lorsqu'il l'eut depuis longtemps rempli, et, dans le silence croissant, continuait à verser lentement et prudemment, jusqu'à ce que maman, qui ne pouvait jamais se contenir, éclatât de rire et classât ainsi toute l'affaire du côté plaisanterie. Car tous aussitôt, soulagés, firent chorus et le chambellan leva les yeux et tendit la bouteille au domestique.

Cependant une autre manie s'empara de grand-mère. Elle ne pouvait plus supporter que quelqu'un tombât malade dans la maison. Un jour que la cuisinière s'était blessée et qu'elle la vit par hasard avec la main pansée, elle prétendit sentir l'iodoforme dans toute la maison et on eut du mal à la persuader qu'on ne pouvait pas pour cette seule raison congédier cette femme. Elle ne voulait pas que quelque chose lui rappelât qu'elle-même pouvait tomber malade. Quelqu'un avait-il l'imprudence de manifester devant elle n'importe quel petit malaise, que ce n'était ni plus ni moins qu'une offense personnelle dont elle vous gardait longtemps rancune.

Cet automne donc, où maman mourut, la femme du chambellan s'enferma tout à fait dans son appartement avec Sophie Oxe et rompit toutes relations avec nous. Son fils même n'était plus reçu. Il est vrai que cette mort était venue très mal à propos. Les chambres étaient froides, les poêles fumaient, les souris s'étaient introduites dans la maison. Nulle part on n'était à l'abri d'elles. Mais il n'y avait pas que cela : Mme Margarete Brigge était indignée que maman mourût ; qu'il y eût là à l'ordre du jour un sujet dont elle refusait de parler ; que la jeune femme eût usurpé sa préséance, à elle qui ne comptait mourir que dans un délai tout à fait indéterminé. Car elle pensait souvent qu'elle devait mourir. Mais elle ne voulait pas être pressée. Certes, elle mourrait quand il lui plairait, et ensuite tous pourraient mourir à leur tour, sans gêne, les uns après les autres, s'ils avaient tant de hâte.

Mais elle ne nous pardonna jamais complètement la mort de maman. Elle vieillit d'ailleurs rapidement durant l'hiver qui suivit. En marchant elle était encore grande, mais dans le fauteuil elle s'affaissait, et son ouïe devenait dure. On pouvait s'asseoir près d'elle et la regarder, avec de grands yeux, durant des heures, elle ne le sentait pas. Elle était enfoncée quelque part en elle-même ; elle ne revenait que rarement, et pour de brefs instants, dans ses sens qui étaient vides, qu'elle n'habitait plus. Alors elle disait quelques mots à la comtesse qui lui redressait sa mantille et, de ses grandes mains fraîchement lavées, amenait sa robe sous elle, comme si l'on avait répandu de l'eau, ou comme si nous n'étions pas très propres.

Elle mourut aux approches du printemps, en ville, une nuit. Sophie Oxe, dont la porte était ouverte, n'avait rien entendu. Lorsqu'on trouva Mme Margarete Brigge au matin, elle était froide comme du verre.

Aussitôt après commença la terrible et grande maladie du chambellan. C'était comme s'il avait attendu la fin de sa femme pour mourir sans égards, avec autant de violence qu'il était nécessaire.

C'est en l'année qui suivit la mort de maman que j'aperçus pour la première fois Abelone. Abelone était toujours là. C'était même son tort le plus grave. Et puis Abelone n'était pas sympathique, c'est ce que j'avais constaté, un jour, autrefois, en je ne sais plus quelle occasion, et je n'avais jamais sérieusement vérifié cette opinion. Quant à demander une explication quelconque touchant la présence ou la nature d'Abelone, cela m'eût semblé jusque-là presque ridicule. Abelone était là et on usait d'elle tant bien que mal. Mais tout à coup je me demandai : pourquoi Abelone est-elle là? Chacun de nous a pourtant une certaine raison d'être, ici, même si elle n'est pas toujours à première vue apparente, comme, par exemple, l'utilité de Mlle Oxe. Mais pourquoi Abelone était-elle toujours là? A un moment donné on m'avait dit qu'elle devait se distraire. Puis ce fut de nouveau oublié. Personne ne contribuait en rien à la distraction d'Abelone. On n'avait pas du tout l'impression qu'elle dût se divertir beaucoup.

D'ailleurs, Abelone avait une qualité : elle chantait. C'est-à-dire qu'il y avait des périodes durant lesquelles elle chantait. Il y avait en elle une musique forte et immuable. S'il est vrai que les anges sont mâles, on peut dire qu'il y avait un accent mâle dans sa voix : une virilité rayonnante, céleste. Moi qui comme enfant déjà, étais si méfiant à l'égard de la musique (non pas parce qu'elle me soulevait plus violemment que tout hors de moi-même, mais parce que j'avais remarqué qu'elle ne me déposait plus où elle m'avait trouvé, mais plus bas, quelque part dans l'inachevé), je supportais cette musique sur laquelle on pouvait monter, monter, debout, très droit, de plus en plus haut, jusqu'à ce que l'on pensât que l'on pouvait être à peu près au ciel, depuis un instant déjà. Je ne soupçonnais pas, alors, qu'Abelone dût encore m'ouvrir d'autres cieux.

Tout d'abord nos rapports se bornèrent à ceci qu'elle me parlait de l'enfance de maman. Elle tenait beaucoup à me persuader combien courageuse et jeune maman avait été. Il n'y avait personne jadis, à l'en croire, qui eût pu se mesurer avec maman dans la danse et l'équitation. « Elle était la plus hardie de toutes et infatigable, et puis elle se maria tout à coup », disait Abelone qui, depuis tant d'années, n'était pas revenue de son étonnement. « Cela arriva de façon si inattendue : personne n'y comprenait rien. »

Je fus curieux de savoir pourquoi Abelone ne s'était pas mariée. Elle me paraissait âgée relativement, et qu'elle pût encore épouser quelqu'un, c'est à quoi je ne songeai pas.

« Il n'y avait personne », répondit-elle simplement, et en prononçant ces mots elle devint très belle. Abelone est-elle belle ? me demandai-je surpris. Puis je quittai la maison pour l'Académie nobiliaire, et une période odieuse et pénible de ma vie commença. Mais lorsque, là-bas, à Sorö, j'étais debout dans l'embrasure de la fenêtre, à l'écart des autres et qu'ils me laissaient un peu en paix, je regardais dehors, vers les arbres, et en de tels instants de la nuit, la certitude grandissait en moi qu'Abelone était belle. Et je commençai de lui écrire toutes ces lettres, longues et brèves, beaucoup de lettres secrètes où je croyais parler d'Ulsgaard et de mon infortune. Mais je vois bien à présent qu'elles durent être des lettres d'amour. Et, enfin, vinrent les vacances, qui d'abord ne voulaient pas se décider à approcher, et ce fut comme d'un accord préalable que nous ne nous revîmes pas devant les autres.

Il n'y avait rien du tout de convenu entre nous, mais lorsque la voiture vira pour entrer dans le parc, je ne pus m'empêcher de descendre, peut-être seulement parce que je ne voulais pas arriver en voiture, comme n'importe quel étranger. Nous étions déjà en plein été. Je pris l'un des chemins et courus vers un cytise. Et voici qu'Abelone était là. Belle, ô belle Abelone !

Je n'oublierai jamais comment ce fut lorsque tu me regardas alors. Comme tu portais ton regard, pareil à une chose qui ne serait pas fixée, le retenant sur ton visage incliné en arrière.

Ah ! le climat n'a-t-il donc pas du tout changé, ne s'est-il pas adouci autour d'Ulsgaard, de toute notre chaleur ? Certaines roses depuis lors ne fleurissent-elles pas plus longtemps, dans le parc, jusqu'en plein décembre ?

Je ne veux rien raconter de toi, Abelone. Non parce que nous nous trompions l'un l'autre : parce que tu en aimais un, encore en ce temps-là, que tu n'as jamais oublié, aimante, et moi, toutes les femmes ; mais parce que, à dire les choses, on ne peut que faire du mal.

Il y a ici des tapisseries, Abelone, des tapisseries. Je me figure que tu es là ; il y a six tapisseries ; viens, passons lentement devant elles. Mais d'abord fais un pas en arrière et regarde-les, toutes à la fois. Comme elles sont tranquilles, n'est-ce pas ? Il y a peu de variété entre elles. Voici toujours cette île bleue et ovale, flottant sur le fond discrètement rouge qui est fleuri et habité par de petites bêtes tout occupées d'elles-mêmes. Là seulement, dans le dernier tapis, l'île monte un peu, comme si elle était devenue plus légère. Elle porte toujours une forme, une femme, en vêtements différents, mais toujours la même. Parfois, il y a à côté d'elle une figure plus petite, une suivante, et il y a toujours des animaux héraldiques : grands, qui sont sur l'île, qui font partie de l'action. A gauche un lion, et à droite, en clair, la licorne ; ils portent les mêmes bannières qui montent, haut au-dessus d'eux : de gueule à bande d'azur aux trois lunes d'argent. As-tu vu ? Veux-tu commencer par la première ?

Elle nourrit un faucon. Vois son vêtement somptueux ! L'oiseau est sur sa main gantée et bouge. Elle le regarde et, en même temps, pour lui tendre quelque chose, plonge la main dans une coupe que la domestique lui apporte. A droite, en bas, sur sa traîne, se tient un petit chien au poil soyeux, qui lève la tête et espère qu'on se souviendra de lui. Et — as-tu vu ? — une roseraie basse enclôt l'île par-derrière. Les animaux se dressent avec un orgueil héraldique. Les armes de leur maîtresse se répètent sur leurs mantelets qu'une belle agrafe retient. Et flottent.

Ne s'approche-t-on pas malgré soi plus silencieusement de l'autre tapisserie dès qu'on a vu combien la femme est plus profondément absorbée en elle-même. Elle tresse une couronne, une petite couronne ronde de fleurs. Pensive, elle choisit la couleur du prochain œillet, dans le bassin plat que lui tend la servante, et tout en nouant le précédent. Derrière elle, sur un banc, il y a un panier de roses qu'un singe a découvert. Mais il est inutile : cette fois, c'est des œillets qu'il fallait. Le lion ne prend plus part ; mais, à droite, la licorne comprend.

Ne fallait-il pas qu'il y eût de la musique dans ce silence ? N'était-elle pas déjà secrètement présente ? Gravement et silencieusement ornée, la femme s'est avancée — avec quelle lenteur, n'est-ce pas ? — vers l'orgue portatif et elle en joue, debout. Les tuyaux la séparent de la domestique qui, de l'autre côté de l'instrument, actionne les soufflets. Je ne l'ai jamais vue si belle. Étrange est sa chevelure : réunie sur le devant en deux tresses qui sont nouées au-dessus de la tête et s'échappent du nœud comme un court panache. Contrarié, le lion supporte les sons, malaisément, en contenant son envie de hurler. Mais la licorne est belle, comme agitée par des vagues.

L'île s'élargit. Une tente est dressée. De damas bleu et flammée d'or. Les bêtes l'ouvrent et, presque simple dans son vêtement princier, elle s'avance. Car que sont ses perles auprès d'elle-même ? La suivante a ouvert un petit étui et, à présent, elle en tire une chaîne, un lourd et merveilleux bijou qui était toujours enfermé. Le petit chien est assis près d'elle, surélevé, à une place qu'on lui a ménagée, et le regarde. Et as-tu découvert le verset en haut de la tente ? Tu peux y lire : « A mon seul désir. »

Qu'est-il arrivé ? Pourquoi le petit lapin saute-t-il là en bas, pourquoi voit-on immédiatement qu'il saute ? Tout est si troublé. Le lion n'a rien à faire. Elle-même tient la bannière, ou s'y cramponne-t-elle ? De l'autre main elle touche la corne de la licorne. Est-ce un deuil ? Le deuil peut-il rester ainsi debout ? Et une robe de deuil peut-elle être aussi muette que ce velours noir-vert et par endroits fané ?

Mais une fête vient encore ; personne n'y est invité.

L'attente n'y joue aucun rôle. Tout est là. Tout pour toujours. Le lion se retourne presque menaçant : personne n'a le droit de venir. Nous ne l'avons jamais vue lasse ; est-elle lasse ? ou ne s'est-elle reposée que parce qu'elle tient un objet lourd ? On dirait un ostensoir. Mais elle ploie son autre bras vers la licorne et l'animal se cabre, flatté, et monte, et s'appuie sur son giron. C'est un miroir qu'elle tient. Vois-tu : elle montre son image à la licorne..

Abelone, je m'imagine que tu es là. Comprends-tu, Abelone ? Je pense que tu dois comprendre.

Et voici que les tapisseries de la dame à la licorne ont, elles aussi, quitté le vieux château de Boussac. Le temps est venu où tout s'en va des maisons, et elles ne peuvent plus rien conserver. Le danger est devenu plus sûr que la sécurité même. Plus personne de la lignée des Delle Viste ne marche à côté de vous et ne porte sa race dans le sang. Tous ont vécu. Personne ne prononce ton nom, Pierre d'Aubusson, grand-maître parmi les grands d'une maison très ancienne, par la volonté de qui, peut-être, furent tissées ces images qui, tout ce qu'elles montrent, le célèbrent, mais ne le livrent pas. (Ah, pourquoi donc les poètes se sont-ils exprimés autrement sur les femmes, plus littéralement, croyaient-ils ? Il est bien certain que nous n'aurions dû savoir que ceci.) Et voilà que le hasard, parmi les passants de hasard, nous conduit ici, et nous nous effrayons presque de n'être pas des invités. Mais il y a là d'autres passants encore, du reste peu nombreux. C'est à peine si les jeunes gens s'y arrêtent, à moins que par hasard leurs études les obligent à avoir vu ces choses, une fois, pour tel ou tel détail.

Cependant on y rencontre parfois des jeunes filles. Car
il y a dans les musées beaucoup de jeunes filles qui ont
quitté, ici ou là, des maisons qui ne contenaient plus rien.
Elles se trouvent devant ces tapisseries et s'y oublient un
peu de temps. Elles ont toujours senti que cela a dû
exister quelque part : une telle vie adoucie en gestes lents
que personne n'a jamais complètement éclaircis ; et elles
se rappellent obscurément qu'elles crurent même pendant
quelque temps que telle serait leur vie. Mais aussitôt elles
ouvrent une cahier tiré de quelque part et commencent à
dessiner n'importe quoi : une fleur des tapisseries ou
quelque petite bête toute réjouie. Peu importe ce que
c'est, leur a-t-on dit. Et en effet, qu'à cela ne tienne !
L'essentiel, c'est qu'on dessine ; car c'est pour cela
qu'elles sont parties un jour de chez elles, de vive force.
Elles sont de bonne famille. Mais lorsqu'elles lèvent les
bras pour dessiner, il apparaît que leur robe n'est pas
boutonnée dans le dos, ou du moins ne l'est pas entièrement. Il y a là quelques boutons qu'on n'a pu atteindre.
Car lorsque cette robe avait été faite on n'avait pas encore
pensé qu'on dût ainsi s'en aller subitement, toute seule.
Dans les familles, il y a toujours quelqu'un pour fermer
des boutons. Mais ici, mon Dieu, qui pourrait se soucier
de cela dans une ville aussi grande ? A moins peut-être
que l'on ait une amie ; mais les amies sont dans la même
situation, et l'on finirait alors quand même par se
boutonner ses vêtements les unes aux autres. Or cela,
n'est-ce pas ? serait ridicule et vous ferait penser à la
famille qu'on ne veut pas se rappeler.

Il est cependant inévitable qu'on se demande parfois
tout en dessinant s'il n'eût pas été possible qu'on restât
chez soi. Si l'on avait pu être pieuse, franchement pieuse,
en se conformant à l'allure des autres. Mais il semblait si
absurde de tenter d'être cela en commun. La route, je ne

sais comment, s'est rétrécie : les familles ne peuvent plus aller à Dieu. Il ne reste donc que quelques autres domaines que l'on pouvait au besoin se partager. Mais pour peu qu'on le fît honnêtement, il restait si peu pour chacun séparément que c'en était honteux. Et si l'on essayait de tromper les autres, cela finissait par des disputes. Non, vraiment, mieux vaut dessiner n'importe quoi. Avec le temps, la ressemblance apparaîtra d'elle-même. Et l'art, quand on l'acquiert ainsi, peu à peu, est somme toute, un bien très enviable.

Et tandis qu'elles ont l'attention tout occupée par leur travail, ces jeunes filles ne songent plus à lever leurs yeux. Et elles ne s'aperçoivent pas que, malgré tout leur effort de dessiner, elles ne font cependant qu'étouffer en elles la vie immuable qui est ouverte devant elles dans les images tissées, rayonnante et ineffable. Elles ne veulent pas le croire. A présent que tant de choses se transforment, elles veulent changer, elles aussi. Elles ne sont pas éloignées de faire l'abandon d'elles-mêmes, et de penser de soi, à peu près comme les hommes parlent d'elles lorsqu'elles ne sont pas présentes. Et cela leur semble un progrès. Elles sont déjà presque convaincues que l'on cherche une jouissance, et puis une autre, plus forte encore ; que la vie consiste en cela, si l'on ne veut pas stupidement la perdre. Elles ont déjà commencé à se retourner, à chercher. Elles, dont la force avait consisté jusque-là en ceci : qu'on devait les trouver.

Cela vient, je pense, de ce qu'elles sont fatiguées. Durant des siècles elles ont accompli tout l'amour, elles ont joué les deux parties du dialogue. Car l'homme ne faisait que répéter, et mal. Et il leur rendait difficile leur effort d'apprendre, par sa distraction, par sa négligence, par sa jalousie qui était elle-même une manière de négligence. Et elles ont cependant persévéré jour et nuit, et elles se sont accrues en amour et en misère. Et d'entre elles ont surgi sous la pression de détresses sans fin, ces aimantes inouïes qui, tandis qu'elles l'appelaient, surpassaient l'homme. Qui grandissaient et s'élevaient plus haut que lui, quand il ne revenait pas, comme Gaspara Stampa ou comme la Portugaise, et qui n'avaient de cesse que leur torture eût brusquement tourné en une splendeur amère, glacée, que rien ne pouvait plus arrêter. Nous connaissons celle-ci et celle-là, parce qu'il y a des lettres qui se sont comme par miracle conservées, ou des livres de poèmes plaintifs ou accusateurs, ou des portraits qui, dans quelque galerie, nous regardent à travers une envie de pleurer, et que le peintre a réussis parce qu'il ne savait pas ce que c'était. Mais elles ont été innombrables ; celles dont les lettres ont été brûlées et d'autres qui n'avaient plus la force de les écrire. Des matrones qui s'étaient durcies, avec une moelle de délices qu'elles cachaient. Des femmes informes, qui, devenues fortes par l'épuisement, se laissaient devenir peu à peu semblables à leurs maris, et dont l'intérieur était cependant tout différent, là où leur amour avait travaillé, dans l'obscurité. Des femmes enceintes qui ne voulaient pas l'être, et qui, lorsqu'elles mouraient enfin après la huitième naissance, avaient encore les gestes et la légèreté des jeunes filles qui se réjouissent de connaître l'amour. Et celles qui restaient à côté de déments et d'ivrognes parce qu'elles avaient trouvé le moyen d'être en elles-mêmes plus loin d'eux qu'en nul autre lieu ; et lorsqu'elles se trouvaient parmi les gens, elles ne pouvaient s'en cacher, et rayonnaient comme si elles n'avaient vécu qu'avec des bienheureux. Qui dira combien et qui elles furent ? C'est comme si elles avaient d'avance détruit les mots avec lesquels on pourrait les saisir.

Mais, à présent que tout devient différent, notre tour n'est-il pas venu de nous transformer ? Ne pourrions-nous essayer de nous développer un peu et de prendre peu à peu sur nous notre part d'effort dans l'amour ? On nous a épargné toute sa peine, et c'est ainsi qu'il a glissé à nos yeux parmi les distractions, comme tombe parfois dans le tiroir d'un enfant un morceau de dentelle véritable, et lui plaît, et cesse de lui plaire, et reste là parmi des choses brisées et défaites, plus mauvais que tout. Nous sommes corrompus par la jouissance superficielle, comme tous les dilettantes, et nous sommes censés posséder la maîtrise. Mais qu'arriverait-il si nous méprisions nos succès ? Quoi, si nous recommencions depuis l'origine à apprendre le travail de l'amour qui a toujours été fait pour nous ? Quoi, si nous allions et si nous étions des débutants, à présent que tant de choses se prennent à changer ?

Et voici que je sais de nouveau ce qui arrivait lorsque maman déroulait les petites pièces de dentelles. Car elle avait occupé pour ses besoins un seul des tiroirs du secrétaire d'Ingeborg.

« Si nous les regardions, Malte ? » disait-elle, et elle se réjouissait comme si l'on allait lui faire cadeau de tout ce que contenait le petit casier en laque jaune. Et puis elle ne pouvait même plus, tant son impatience était grande, déplier le papier de soie. Chaque fois je devais m'en acquitter à sa place. Mais moi aussi j'étais tout agité lorsque les dentelles apparaissaient. Elles étaient enroulées autour d'un cylindre en bois que l'épaisseur de dentelle empêchait de voir. Et voici que nous les défai-

sions lentement et que nous regardions les dessins se
dérouler et que nous nous effrayions un peu, chaque fois
que l'un d'eux prenait fin. Ils s'arrêtaient si soudaine-
ment.

D'abord venaient des bandes de travail italien, des
pièces coriaces aux fils tirés, dans lesquelles tout se
répétait sans cesse, avec une claire évidence, comme un
jardin de paysans. Et puis, tout à coup, une longue série
de nos regards étaient grillagés de dentelle à l'aiguille
vénitienne, comme si nous étions des cloîtres ou bien des
prisons. Mais l'espace redevenait libre et l'on voyait loin,
au fond des jardins qui se faisaient toujours plus artifi-
ciels, jusqu'à ce que tout devant les yeux devînt touffu et
tiède, ainsi que dans une serre : des plantes fastueuses
que nous ne connaissions pas, étalaient des feuilles
immenses, des lianes étendaient leurs bras les unes vers
les autres, comme si un vertige les avait menacées, et les
grandes fleurs ouvertes des points d'Alençon troublaient
tout de leur pollen répandu. Soudain, épuisé et troublé,
l'on était dehors et l'on prenait pied dans la longue piste
des Valenciennes et c'était l'hiver, de grand matin, et il y
avait du givre. Et l'on se poussait à travers les fourrés
couverts de neige des Binche, et l'on parvenait à des
endroits où personne encore n'avait marché ; les branches
se penchaient si singulièrement vers le sol ; il y avait peut-
être une tombe là-dessous, mais nous nous le dissimulions
l'un à l'autre. Le froid se serrait toujours plus étroitement
contre nous, et maman finissait par dire lorsque venaient
les toutes fines pointes à fuseaux : « Oh ! à présent nous
allons avoir des cristaux de glace aux yeux », et c'était
bien vrai, car au dedans de nous il faisait très chaud.

Nous soupirions tous deux sur la peine de devoir de
nouveau enrouler les dentelles. C'était un long travail,
mais nous ne voulions le confier à personne.

« Songe donc un peu, si nous avions dû les faire ». disait maman, et elle avait l'air vraiment effrayée Et en effet je ne me représentais pas du tout cela. Je me surprenais à penser à de petites bêtes qui filent toujours, et que, en retour, on laisse en repos. Mais non, c'était naturellement des femmes.

« Elles sont sûrement allées au ciel, celles qui ont fait cela », dis-je pénétré d'admiration. Je rappelle, car cela me frappa, que depuis longtemps, je n'avais plus rien demandé sur le ciel. Maman soupira, les dentelles étaient de nouveau réunies.

Après un instant, alors que j'avais déjà oublié ce que je venais de dire, elle prononça très lentement : « Au ciel ? Je crois qu'elles sont tout entières ici, dedans. Quand on les regarde ainsi : ce pourrait bien être une béatitude éternelle. On sait si peu de chose sur tout cela. »

Souvent, lorsqu'il y avait des visites chez nous, on disait que les Schulin se restreignaient Le grand manoir avait brûlé voici quelques années, et à présent, ils habitaient les deux ailes latérales et se restreignaient. Mais ils avaient dans le sang l'habitude de recevoir. Et ils ne pouvaient renoncer à cela. Lorsque quelqu'un venait chez nous de façon tout à fait inattendue, il venait probablement de chez les Schulin ; et si quelqu'un regardait tout à coup sa montre et s'en allait avec un air effrayé, c'était sûrement qu'il était attendu à Lystager.

A la vérité maman n'allait déjà plus nulle part, mais cela, les Schulin ne pouvaient le comprendre ; il n'y avait pas d'autre solution, il fallait y aller un jour ou l'autre. C'était en décembre, après quelques précoces chutes de neige ; le traîneau était commandé pour trois heures, je devais être de la promenade. Mais on ne partait jamais de chez nous à l'heure précise. Maman, qui n'aimait pas qu'on annonçât la voiture, descendait le plus souvent beaucoup trop tôt, et lorsqu'elle ne trouvait personne, elle se rappelait toujours quelque chose qui aurait dû être fait depuis longtemps, et elle commençait à chercher ou à ranger je ne sais quoi, tout en haut de la maison, si bien qu'il n'y avait presque plus moyen de l'atteindre. Finalement nous étions tous là debout, et nous attendions. Et lorsque enfin, elle était assise et empaquetée, on découvrait encore qu'on avait oublié quelque chose, et il fallait faire chercher Sieversen ; car Sieversen seule savait où cela se trouvait. Mais ensuite on démarrait brusquement, avant même que Sieversen fût revenue.

Ce jour-là il n'avait pas du tout fini par faire clair. Les arbres étaient là, comme empêchés d'avancer dans le brouillard, et il y avait de l'entêtement à vouloir quand même entrer là-dedans. La neige cependant recommençait à tomber en silence, et à présent c'était comme si tout, jusqu'au dernier trait, avait été effacé, comme si l'on conduisait dans une page blanche. Il n'y avait rien que le son des grelots et l'on n'aurait pu dire exactement où ils se trouvaient. Vint un instant qu'il cessa même, comme si le dernier grelot avait été dépensé. Mais ensuite le tintement se rassembla de nouveau et fut d'accord, et de nouveau se répandit hors de l'abondance. Le clocher à gauche, on pouvait l'avoir imaginé. Mais le contour du parc était soudain là, haut, presque au-dessus de nous, et l'on se trouvait dans la longue avenue. Les grelots ne se détachaient plus complètement ; c'était comme s'ils s'étaient accrochés, par grappes, à gauche et à droite, aux arbres. Puis l'on vira et l'on tourna autour de quelque chose, à droite, et l'on s'arrêta au milieu.

Georg avait complètement oublié que la maison n'était

plus là, et, pour nous tous elle fut là en cet instant. Nous montâmes le perron qui conduisait sur l'ancienne terrasse et nous étions tous étonnés qu'il fût si sombre. Subitement une porte s'ouvrit à gauche, derrière nous, et quelqu'un cria : « Par ici », leva et agita une lumière embuée. Mon père rit : « Nous errons ici comme des fantômes », et il nous aida à redescendre les marches.

« Mais il y avait cependant tout à l'heure une maison ici ? » dit maman. Elle ne pouvait pas s'habituer si vite à Wjera Schulin qui venait d'accourir, toute chaude et riante. Et bien entendu il fallait tout de suite entrer, et il n'était plus question de penser encore à la maison. On vous débarrassait dans un vestibule étroit et voici qu'on était soudain au milieu des lampes et en face de la chaleur.

Ces Schulin étaient une puissante famille de femmes autonomes. Je ne sais pas s'il y eut jamais des fils de cette race. Je ne me souviens que de trois sœurs ; de l'aînée, qui avait épousé un marquis napolitain et qui, à force de procès, n'en finissait pas de divorcer. Puis venait Zoé, dont on disait qu'il n'y avait rien au monde qu'elle ignorât. Et surtout il y avait Wjera, cette chaude Wjera ; Dieu sait ce qu'elle est devenue. La comtesse, une Narischkin, était en réalité la quatrième sœur et, à certains égards, la plus jeune. Elle ne savait rien et ses enfants devaient sans cesse la renseigner. Et le brave comte Schulin se croyait presque marié à toutes ces femmes ; il allait, venait et les embrassait, un peu au hasard.

Il rit d'abord très fort et nous salua avec une attention minutieuse. Les femmes me faisaient circuler d'une main dans l'autre, l'on me palpait et l'on m'interrogeait. Mais j'étais fermement résolu à m'échapper aussitôt après, de quelque façon que ce fût, et à me mettre à la recherche de la maison. J'étais convaincu qu'aujourd'hui elle était là. Il ne m'était pas très difficile de quitter la pièce. Entre tant de robes on pouvait se faufiler, très bas, comme un chien, et la porte du vestibule n'était qu'appuyée. Mais dehors la porte extérieure ne voulait pas céder. Il y avait là plusieurs mécanismes, des chaînes et des verrous que, dans ma hâte, je maniais maladroitement. Subitement, elle s'ouvrit quand même, mais en faisant un grand bruit, et, avant que je fusse dehors, je me sentis retenu et ramené en arrière.

— Halte-là, le fuyard, ici on ne prend pas la clef des champs, dit Wjera Schulin d'un air amusé. Elle se pencha sur moi, et j'étais bien décidé à ne rien trahir à cette chaude et riante personne. Mais comme je ne disais toujours rien, elle supposa délibérément qu'un besoin naturel m'avait poussé à la porte ; elle prit ma main et marchait déjà, et, d'un air où il y avait une part de privauté et une part de fierté, voulut m'entraîner je ne sais où. Ce malentendu intime me blessa au delà de toute mesure. Je me dégageai et la regardai d'un air colère :

— C'est la maison que je veux voir, dis-je avec orgueil.

Elle ne comprenait pas.

— La grande maison, dehors, près de l'escalier.

— Petit âne, dit-elle et tenta de m'attraper, il n'y a plus de maison, là-bas.

Je persistai.

— Nous irons une fois de jour, proposa-t-elle, conciliante. On ne peut pas y traîner à cette heure-ci. Il y a des trous et en arrière sont les viviers de papa qui ne doivent jamais geler. Tu tomberas à l'eau et tu seras changé en poisson.

En même temps elle me poussait devant elle, vers les chambres éclairées. Ils étaient tous assis là, et je les regardai l'un après l'autre : « Ils n'y vont bien entendu

que lorsqu'elle n'est pas là, songeai-je avec mépris. Si
maman et moi habitions ici, elle serait toujours là. »
Maman paraissait distraite, tandis que les autres parlaient
tous à la fois. Elle pensait sûrement à la maison.

Zoé s'assit à côté de moi et me posa des questions. Elle
avait un visage bien ordonné où l'intelligence se renouve-
lait de temps en temps comme si elle ne cessait de
comprendre. Mon père était assis, le corps légèrement
incliné à droite, et écoutait la marquise qui riait. Le comte
Schulin était debout entre maman et sa femme et
racontait quelque chose. Mais je vis la comtesse l'interrompre au milieu d'une phrase.

— Non, mon petit, c'est une idée, dit avec bonhomie le
comte, mais lui aussi prit tout à coup un visage inquiet qui
s'avançait, au-dessus des deux dames. On ne pouvait
cependant faire renoncer la comtesse si facilement à cette
idée. Elle semblait toute tendue comme quelqu'un qui ne
veut pas être dérangé. Elle faisait de petits signes de
défense, de ses molles mains baguées. Quelqu'un fit :
« Sst » et un silence se fit tout à coup.

Derrière les hommes, les grands objets de la vieille
maison se poussaient beaucoup trop près. La lourde
argenterie de famille brillait et se bombait comme si on
l'avait vue à travers une loupe. Mon père se retourna,
surpris.

« Maman sent une odeur, dit Wjera Schulin derrière
lui, taisons-nous bien tous, elle sent avec ses oreilles. »
Elle-même, cependant, arquait ses sourcils, attentive, et
n'était plus que nez.

Les Schulin, à cet égard, étaient devenus un peu
bizarres depuis l'incendie. Dans les chambres étroites et
surchauffées quelque odeur pouvait s'élever à tout
moment, et alors on l'analysait et chacun donnait son
avis. Zoé s'occupait du poêle, pratique et consciencieuse ;

le comte allait et venait, s'arrêtait un instant dans chaque angle de la chambre et attendait. « Ce n'est pas ici », disait-il ensuite. La comtesse s'était levée et ne savait pas où elle devait chercher. Mon père tourna lentement sur lui-même, comme s'il avait eu l'odeur dans le dos. La marquise, qui avait aussitôt supposé que ce devait être une mauvaise odeur, tenait son mouchoir sur la bouche et regardait de l'un à l'autre pour savoir si c'était passé. « Ici, ici », s'écriait Wjera de temps à autre, comme si elle la tenait. Et autour de chaque mot se faisait un étrange silence. En ce qui me touche, j'avais, de concert avec les autres, bravement exercé mon odorat. Mais tout à coup (était-ce la chaleur des chambres ou tant de lumière si proche ?) je me sentis pris, pour la première fois de ma vie, d'un sentiment qui devait ressembler à la peur des fantômes. Il m'apparut clairement que tous ces grands corps si évidents, qui un instant plus tôt parlaient et riaient encore, marchaient courbés et étaient occupés de je ne sais quoi d'invisible ; qu'ils admettaient qu'il dût y avoir là quelque chose qu'ils ne voyaient pas. Et il était affreux de penser que cette chose était plus forte qu'eux tous.

Ma peur grandissait. Il me semblait que ce qu'ils cherchaient pourrait éclater soudain hors de moi comme une éruption, et alors ils le verraient et tendraient le doigt vers moi. Tout désespéré, je dirigeai mon regard vers maman. Elle s'était assise singulièrement droite, il me sembla qu'elle devait attendre. A peine étais-je près d'elle et eus-je senti qu'elle tremblait intérieurement, que je sus que la maison, à présent, commençait de nouveau à fondre.

« Malte, froussard », riait-on quelque part. C'était la voix de Wjera. Mais nous ne nous abandonnâmes pas et nous souffrîmes ensemble le même mal, et nous demeurâmes ainsi, maman et moi, jusqu'à ce que la maison se fût de nouveau évanouie.

Mais les jours les plus riches en expériences presque insaisissables étaient encore les jours d'anniversaires. Sans doute savait-on déjà que la vie se plaisait à ne pas faire de différences ; pour ce jour-là, cependant, on se levait avec la conscience d'avoir droit à la joie, un droit qui ne pouvait plus être remis en question. Sans doute le sentiment de ce droit s'était-il développé très tôt en nous, dans le temps où l'on touche à tout, où l'on reçoit vraiment tout, où l'on hausse les objets que l'on se trouve avoir en main, avec une force d'imagination que rien ne saurait faire dériver, jusqu'à l'intensité et à la couleur fondamentale du désir qui justement domine en nous.

Mais ensuite viennent tout à coup ces singuliers jours d'anniversaires, où, dans la sûre et pleine conscience de ce droit acquis, l'on voit les autres devenir incertains. On voudrait se laisser habiller comme autrefois et puis accueillir le reste. Mais a peine est-on éveillé que quelqu'un crie dehors que la tarte n'est pas encore arrivée ; ou bien l'on entend qu'un objet s'est brisé tandis que, dans la chambre contiguë, ils apprêtaient la table garnie de cadeaux ; ou bien quelqu'un entre et laisse la porte ouverte et l'on voit tout avant que l'on eût dû le voir. C'est l'instant où s'accomplit en vous comme une opération. Un toucher bref et atrocement douloureux. Mais la main qui l'exécute est ferme et exercée. C'est tout de suite fini. Et à peine l'a-t-on surmonté que l'on ne pense déjà plus à soi-même ; il s'agit de sauver l'anniversaire, d'observer les autres, de prévenir leurs fautes, de les confirmer dans leur illusion qu'ils s'acquittent de tout admirablement. Ils ne vous rendent pas votre tâche facile. Il apparaît qu'ils sont d'une maladresse sans exemple, presque stupides. Ils trouvent moyen d'entrer avec des paquets quelconques, destinés à d'autres gens. On court à leur rencontre, et l'on doit ensuite faire semblant de tourner simplement dans la chambre, pour se donner du mouvement, et sans but précis. Ils veulent vous surprendre et, avec une curiosité et une attente qui ne sont que superficiellement feintes, ils soulèvent la couche intérieure des boîtes de jouets qui ne contenaient que des copeaux ; alors il faut les aider à surmonter leur gêne. Ou encore, si c'était un jouet mécanique, ils brisent eux-mêmes le ressort de leur cadeau en le remontant trop. Il est donc bon de s'exercer à temps à pousser au besoin du pied, sans qu'il y paraisse, une souris dont le cran d'arrêt a été dépassé : on réussit souvent ainsi à les tromper et à leur épargner la honte.

Cela d'ailleurs, on y parvenait à souhait, même sans dons particuliers. Du talent, il n'en fallait vraiment que lorsque quelqu'un s'était donné du mal et apportait, débordant d'impatience et de bonhomie joviale, un plaisir — et de loin déjà l'on voyait que ce plaisir n'était bon que pour tout autre que pour vous, que c'était un plaisir tout à fait étranger ; on ne savait même pas à qui il aurait pu convenir, tant il était étranger.

Que l'on racontât, que l'on racontât vraiment, cela n'a dû arriver que bien avant mon temps. Je n'ai jamais entendu raconter personne. Autrefois, lorsque Abelone me parlait de la jeunesse de maman, il apparut qu'elle ne savait pas raconter. On prétendait que l'ancien comte

Brahe avait encore su raconter. Je veux écrire ici ce qu'elle m'en a dit.

Abelone, comme très jeune fille, devait avoir été d'une ample et particulière sensibilité. Les Brahe habitaient alors la ville, dans la Bretgade, et menaient une vie assez mondaine. Lorsque, le soir, tard, elle montait dans sa chambre, elle croyait être fatiguée comme les autres. Mais alors, tout à coup, elle sentait la fenêtre, et, si j'ai bien compris, elle pouvait rester debout devant le nuit, des heures durant, en songeant : ceci me regarde. « J'étais là pareille à un prisonnier, disait-elle, et les étoiles étaient la liberté. » Elle ne pouvait s'endormir sans d'abord se faire lourde. L'expression « tomber de sommeil » ne convient pas à cette année de jeune fille. Le sommeil était je ne sais quoi qui montait avec vous, et de temps en temps on avait les yeux ouverts, et l'on était étendu sur une nouvelle surface qui n'était pas encore la plus élevée. Et puis l'on était debout avant le jour ; même en hiver, lorsque les autres arrivaient endormis et en retard au petit déjeuner déjà tardif. Le soir, lorsque la nuit tombait, il n'y avait jamais que des lumières pour tous, des lumières communes. Mais ces deux chandelles allumées de très bonne heure dans une obscurité toute nouvelle, avec quoi tout recommençait, celles-ci vous appartenaient. Elles étaient plantées dans le chandelier bas à deux branches et semblaient brûler tranquillement, paraissant à travers les petits abat-jour de tulle ovales, où des roses étaient peintes, et qu'il fallait de temps à autre faire glisser plus bas. Cette nécessité n'avait rien de gênant. D'abord on n'était nullement pressé, et puis il arrivait toujours qu'on dût lever les yeux et réfléchir tandis qu'on écrivait une lettre ou quelque page de ce journal qui avait commencé jadis avec une écriture tout autre, appliquée et belle.

Le comte Brahe vivait très à l'écart de ses filles. Il tenait pour illusion qu'on prétendît partager la vie de quelqu'un. (« Oui, oui, partager », disait-il.) Mais il ne lui déplaisait pas que les gens lui parlassent de temps en temps de ses filles. Il écoutait avec attention, comme si elles avaient habité une autre ville.

On fut donc très surpris qu'un jour, après le petit déjeuner, il fît signe à Abelone d'approcher.

« Nous avons les mêmes habitudes, il me semble. J'écris aussi de très bonne heure. Tu peux m'aider... »

Abelone s'en souvenait encore comme si c'était d'hier.

Dès le lendemain matin elle fut introduite dans le cabinet de travail de son père dont on croyait l'accès interdit. Elle n'eut pas le temps de poser son regard sur tout ce qui l'entourait, car on l'assit aussitôt en face du comte, devant le bureau qui lui apparut comme une vaste plaine où les livres et les dossiers figuraient des villages.

Le comte dicta. Ceux qui affirmaient que le comte Brahe écrivait ses mémoires n'avaient pas tout à fait tort. Mais il ne s'agissait ni des souvenirs politiques, ni des souvenirs militaires qu'on attendait de lui avec impatience. « J'oublie ces choses-là », répondait brièvement le vieillard lorsqu'on l'interrogeait sur de tels faits. Ce qu'il ne voulait pas oublier, c'était son enfance. Il y était particulièrement attaché. Il lui semblait normal que ces temps très éloignés prissent à présent le dessus en lui et que, lorsqu'il dirigeait son regard en dedans de soi, ils fussent là, comme dans une claire nuit d'été des pays du nord, extasiée et sans sommeil.

Quelquefois il sursautait et parlait contre les chandelles dont les flammes vacillaient. Ou bien il fallait de nouveau biffer des phrases entières, et ensuite il allait et venait avec véhémence dans la pièce, et les pans de sa grande robe de chambre en soie vert Nil flottaient dans son sillage. Pendant que tout cela se déroulait, une autre personne était encore présente : Sten, le vieux valet de chambre jutlandais du comte, dont le devoir était, lorsque mon grand-père se levait en sursaut, de vite poser ses mains sur les feuillets détachés qui, couverts de notes, étaient répandus sur la table. Sa Grâce se figurait que le papier d'aujourd'hui ne valait plus rien, qu'il était trop léger et s'envolait au moindre souffle. Et Sten, qu'on ne voyait qu'à mi-corps, partageait cette méfiance et semblait, en quelque sorte, accroupi sur les paumes de ses mains, aveugle au jour et grave comme un oiseau de nuit.

Ce Sten passait ses après-midi de dimanche à lire Swedenborg, et personne de la domesticité n'osait entrer dans sa chambre parce qu'on prétendait qu'il évoquait des esprits. La famille de Sten avait toujours entretenu des rapports avec les esprits et Sten paraissait tout particulièrement prédestiné à cultiver ce genre de relations. Une vision était apparue à sa mère, la nuit qu'elle accoucha de lui. Il avait de grands yeux ronds et l'autre extrémité de son regard semblait se fixer toujours derrière la personne qu'il considérait Le père d'Abelone s'informait souvent des esprits, de même qu'on a coutume d'interroger quelqu'un sur la santé de ses familiers : « Viennent-ils au moins, Sten ? demandait-il avec bienveillance ; allons, tant mieux, tant mieux ! »

La dictée se poursuivit ainsi quelques matins... jusqu'à ce que Abelone un jour, ne sût pas écrire le mot « Eckernforde » C'était un nom propre et elle ne l'avait jamais entendu. Le comte, qui, à la vérité, cherchait depuis longtemps un prétexte pour renoncer à écrire, parce que la plume allait moins vite que ses souvenirs, se montra irrité.

« Elle ne sait pas l'écrire, dit-il sur un ton coupant, et d'autres ne sauront pas le lire. Et verront-ils seulement ce que je veux dire ? » poursuivit-il de plus en plus colère, sans quitter des yeux Abelone.

« Le verront-ils, ce Saint-Germain ? s'écria-t-il, tourné vers elle. Avons-nous dit Saint-Germain ? Biffez ! Écrivez : le marquis de Belmare.

Abelone biffa et écrivit. Mais le comte poursuivit en parlant si vite qu'il devenait impossible de le suivre.

« Il ne pouvait supporter les enfants, cet excellent Belmare, mais, tout petit que j'étais alors, il me prit sur ses genoux, et j'eus l'idée de mordre ses boutons de diamant. Cela lui fit plaisir. Il rit et me leva le menton jusqu'à ce que nous regardassions l'un dans les yeux de l'autre : « Tu as d'excellentes dents, dit-il, tu as des dents « vraiment entreprenantes... » Je tâchais cependant de garder le souvenir de ses yeux. J'ai traîné un peu partout depuis lors. J'ai vu toutes sortes d'yeux, tu peux m'en croire, mais je n'en ai pas revu de pareils. Pour ces yeux-là il eût mieux valu que rien n'existât. Ils contenaient tout. As-tu entendu parler de Venise ? Bien. Sache donc que ces yeux eussent projeté Venise dans cette chambre et qu'elle eût été là, comme cette table ! J'étais assis un jour dans un angle de la pièce et je l'écoutais parler à mon père de la Perse : quelquefois il me semble encore que mes mains en ont gardé l'odeur. Mon père l'estimait et Son Altesse le landgrave était un peu son élève. Mais il y avait naturellement beaucoup de gens qui lui reprochaient de ne croire au passé que lorsque le passé était en lui. Ils ne pouvaient pas comprendre que ce frusquin n'a de signification que lorsqu'on l'a eu de naissance.

« Les livres sont vides, s'écriait le comte, avec un geste furieux vers les murs ; le sang, c'est là ce qui importe, et c'est là ce qu'il faut savoir lire. Le sang de Belmare contenait des histoires singulières et d'étranges images. Il pouvait ouvrir où il voulait, il trouvait partout quelque chose. Aucune page de son sang n'avait été laissée en blanc. Et lorsqu'il s'enfermait de temps en temps pour le feuilleter seul, il arrivait par exemple aux passages sur l'alchimie, sur les pierres et sur les couleurs. Pourquoi toutes ces choses n'y auraient-elles pas figuré ? Il faut bien qu'elles figurent quelque part.

« Il eût aisément pu vivre avec une seule vérité, cet homme, s'il avait été seul. Mais il n'était pas facile de vivre seul avec un être tel que sa vérité. D'autre part, il n'était pas assez dépourvu de goût pour inviter les gens à l'aller voir lorsqu'il était en compagnie d'elle. Il ne voulait pas qu'elle prêtât à d'inutiles discours. Il était trop oriental pour cela. « Adieu, Madame, disait-il très sincèrement, à bientôt. Peut-être dans mille années serons-nous plus forts et moins troublés. Votre beauté s'épanouira encore », disait-il, et ce n'était pas là une simple politesse. Puis il s'en allait et créait dehors, pour les gens, une sorte de jardin des plantes où il acclimatait des espèces de mensonges encore inconnues dans nos parages, et une palmeraie d'exagérations, et une petite figueraie de faux secrets. Alors ils vinrent de toutes parts, et il allait et venait, les chaussures ornées de boucles de diamants, et il n'était là que pour ses invités.

« Une existence superficielle, quoi ! Au fond, il témoigna quand même d'un cœur chevaleresque à l'égard de sa femme et il s'est assez bien conservé à mener cette vie-là. »

Depuis quelque temps déjà le vieillard ne s'adressait plus à Abelone qu'il avait oubliée. Il allait et venait comme un fou et jetait des regards provocants à Sten, comme si Sten allait d'un instant à l'autre être transformé en l'objet de sa pensée. Mais Sten ne se transformait pas encore.

« Il faudrait le voir, poursuivait le comte Brahe avec

acharnement. Il fut un temps où il était très visible, bien
que dans beaucoup de villes les lettres qu'il recevait ne
fussent adressées à personne : l'enveloppe ne portait que
le nom de la ville, rien de plus. Et cependant je l'ai vu.

« Il n'était pas beau. Le comte rit avec une sorte de
hâte étrange. Ni même ce que les gens appellent :
important ou distingué. Il y avait toujours à côté de lui
des hommes plus distingués. Il était riche, mais ce n'était
de sa part qu'un caprice auquel il ne faudrait pas attacher
d'importance. Il était bien conformé, encore que d'autres
se tinssent plus droits que lui. Bien entendu, je ne pouvais
pas juger s'il était spirituel, s'il était ceci ou cela, à quoi
l'on met d'ordinaire du prix — mais il était. » Tremblant,
le comte se dressait et faisait un mouvement, comme s'il
avait posé dans l'espace un objet qui restât immobile.

A cet instant il s'aperçut de nouveau de la présence
d'Abelone.

« Le vois-tu ? » l'interpella-t-il sur un ton impérieux.
Et soudain il saisit un candélabre en argent et, en
l'aveuglant, il éclaira le visage d'Abelone.

Elle se souvint de l'avoir vu.

Les jours suivants, Abelone fut appelée régulièrement
et après cet incident, la dictée se continua plus calme-
ment. Le comte reconstituait d'après toutes sortes de
manuscrits ses souvenirs les plus anciens sur l'entourage
de Bernstorff auprès duquel son père avait joué un
certain rôle. Abelone était maintenant si bien habituée
aux petites particularités de son travail que quiconque eût
vu leur collaboration empressée eût facilement cru qu'il
s'agissait d'une intimité véritable. Un jour qu'Abelone
voulait déjà se retirer, le vieux comte marcha vers elle et
ce fut comme s'il tenait derrière soi une surprise dans ses
mains : « Demain nous écrirons sur Julie Reventlow »,

dit-il, et l'on vit qu'il éprouvait une jouissance à prononcer ces mots : « Ce fut une sainte. »

Sans doute Abelone le regarda-t-elle d'un air incrédule.

« Oui, oui, maintint-il d'une voix impérieuse, il y a encore des saintes, il y a de tout, comtesse Abel'. »

Il prit les mains d'Abelone et les écarta comme on ouvre un livre.

« Elle avait des stigmates, dit-il, ici et là », et, de son doigt froid, il toucha durement et rapidement les deux paumes de la jeune fille.

Abelone ne connaissait pas le mot : stigmates. Nous verrons bien, songea-t-elle. Elle était très impatiente d'entendre parler de la sainte que son père avait encore vue. Mais on ne la rappela ni le lendemain ni plus tard...

« On a souvent parlé chez nous de la comtesse Reventlow », concluait brièvement Abelone, lorsque je la priais de m'en conter davantage. Elle semblait fatiguée. Elle prétendait aussi avoir oublié la plus grande partie de ces événements. « Mais je sens encore quelquefois les deux marques », ajoutait-elle en souriant, et elle ne pouvait s'empêcher de regarder, presque avec curiosité, ses paumes vides.

Avant la mort de mon père déjà, tout s'était transformé. Ulsgaard ne nous appartenait plus. Mon père mourut en ville, dans une maison de rapport où je me trouvais dépaysé, dans une atmosphère presque hostile. J'étais alors déjà à l'étranger et j'arrivai trop tard. On l'avait mis en bière, entre deux rangées de hauts cierges, dans une chambre qui donnait sur la cour. L'odeur des fleurs était mal intelligible comme trop de voix qui résonnent à la fois. Son beau visage, dont on avait fermé les yeux, avait l'expression d'une personne qui se souvient par politesse. Il était vêtu de l'uniforme de capitaine des chasses, mais, je ne sais pourquoi, on lui avait mis le ruban blanc au lieu du bleu. Ses mains n'étaient pas jointes, mais croisées de biais, leur disposition semblait imitée et dépourvue de sens. On m'avait raconté très vite qu'il avait beaucoup souffert : il n'y paraissait plus. Ses traits étaient rangés comme les meubles d'une chambre d'amis que quelqu'un vient de quitter. Il me sembla l'avoir vu mort plusieurs fois déjà, tant tout cela avait un air de connaissance.

Le milieu seul était nouveau et me touchait péniblement. Nouvelle était cette chambre accablante en face de laquelle il y avait des fenêtres — sans doute des fenêtres d'autres gens. C'était nouveau que Sieversen entrât de temps en temps et ne fît rien. Sieversen avait vieilli. Puis je dus déjeuner. A plusieurs reprises, le déjeuner fut annoncé. Mais je n'avais aucune envie de déjeuner ce jour-là. Je ne remarquais pas que l'on voulait me faire sortir ; enfin, comme je ne partais toujours pas, Sieversen laissa entendre, je ne sais plus comment, que les médecins étaient là. Je ne compris pas pourquoi. Il y avait encore quelque chose à faire ici, dit Sieversen, et ses yeux rougis me regardaient avec insistance. Puis entrèrent, avec un peu de précipitation, deux messieurs : c'étaient les médecins. Le premier, d'un mouvement saccadé, pencha la tête — comme s'il avait eu des cornes et qu'il eût voulu foncer — pour nous regarder par-dessus les verres de son lorgnon : d'abord Sieversen, puis moi.

Il s'inclina avec la correction guindée et formaliste d'un étudiant. « M. le Capitaine des chasses avait encore un désir », dit-il sur un ton exactement semblable à sa manière d'entrer, et l'on avait de nouveau le sentiment que sa hâte allait le faire culbuter en avant. Je l'obligeai, je ne sais plus comment, à faire passer son regard par les verres de son lorgnon. Son collègue était un homme blond, bien en chair sous une pelure délicate. Je songeai tout à coup qu'il serait facile de le faire rougir. Puis il y eut une pause. Il me paraissait singulier que le capitaine des chasses eût encore des désirs.

Malgré moi, je regardai de nouveau le beau visage régulier. Et je sus alors qu'il voulait avoir la certitude. La certitude, il l'avait au fond toujours désirée. A présent, il allait recevoir satisfaction.

— Vous êtes là pour la perforation du cœur ? Faites, faites, je vous en prie.

Je m'inclinai et fis un pas en arrière. Les deux médecins saluèrent en même temps et commencèrent aussitôt à se mettre d'accord sur leur travail. Quelqu'un déjà écartait les cierges. Mais l'aîné des deux esquissa encore quelques pas vers moi. Arrivé à une certaine distance, il se ploya en avant pour s'épargner le reste du chemin et me lança un regard irrité.

— Il n'est pas nécessaire, dit-il, c'est-à-dire, je pense qu'il vaudrait peut-être mieux que vous...

Il me sembla négligé et usé dans son attitude si économe de soi et si pressée. Je m'inclinai encore une fois. Les circonstances voulaient que je m'inclinasse derechef.

— Merci, dis-je brièvement, je ne vous dérangerai pas.

Je savais que je pourrais supporter cela et qu'il n'y avait pas de raison de m'y soustraire. C'était inévitable. Peut-être ceci manifestait-il le sens de tout le reste. Et puis, jamais je n'avais vu transpercer la poitrine de personne. Il me sembla dans l'ordre des choses que je n'éludasse pas une expérience aussi rare, alors que l'occasion s'en présentait facilement et d'elle-même. Déjà en ce temps-là

je ne croyais plus aux déceptions ; il n'y avait donc rien à
redouter.

... Non, non, il n'est rien au monde qui se puisse
imaginer, pas la moindre chose. Tout se compose de tant
et tant de détails uniques, qu'on ne peut rien prévoir. En
imaginant on passe sur eux et, rapide que l'on est, l'on ne
s'aperçoit plus qu'ils manquent. Mais les réalités sont
lentes et indescriptiblement circonstanciées.

Qui, par exemple, eût imaginé cette résistance ? A
peine la large et haute poitrine fut-elle dénudée que le
petit homme pressé eut déjà trouvé l'endroit dont il
s'agissait. Mais l'instrument, lorsqu'il l'eut appliqué, ne
pénétra pas. J'eus le sentiment que le temps, subitement,
était hors de la chambre. Nous étions comme dans une
image. Mais, ensuite, le temps nous regagna avec une
vitesse croissante et un léger glissement : il y en eut tout à
coup plus qu'il n'en pouvait être employé. Soudain on
frappa quelque part. Jamais encore je n'avais entendu
frapper ainsi : c'était un bruit chaud, fermé et double.
Mon oreille le transmit et, en même temps, je vis que le
médecin avait atteint le fond. Mais un instant s'écoula
avant que les deux impressions se fussent rejointes en
moi. Tiens, tiens, songeais-je, cela y est donc ? Le
battement — ou son rythme tout au moins — résonna
presque avec une joie maligne et triomphante.

Je regardai l'individu que je connaissais à présent
depuis longtemps. Non, il se dominait tout à fait : c'était
un monsieur qui travaillait vite et bien, qui allait repartir
tout à l'heure. Il n'y avait pas dans son attitude la moindre
trace de jouissance ou de satisfaction. Sur sa tempe
gauche seulement, je ne sais quel ancien instinct avait
dressé quelques cheveux. Il retira l'instrument avec
précaution et il y eut quelque chose qui ressemblait à une
bouche d'où, deux fois de suite, s'échappa du sang,

comme si cette bouche avait prononcé un mot de deux syllabes. Le jeune médecin blond, avec un geste élégant, le recueillit aussitôt dans un peu de coton. Et puis la blessure se tint tranquille, comme un œil fermé.

Il faut admettre que je m'inclinai derechef sans, cette fois, me rendre exactement compte de mes gestes. Du moins fus-je étonné de me retrouver seul. Quelqu'un avait remis en ordre l'uniforme et le ruban blanc était posé là, comme tout à l'heure. Mais à présent le capitaine des chasses était mort et il n'y avait pas lui seulement qui le fût. A présent le cœur était transpercé, notre cœur, le cœur de notre race. A présent, c'était accompli.

« Aujourd'hui, Brigge, et jamais plus », disait une voix en moi.

Je ne pensai pas à mon cœur. Et lorsque j'y songeai plus tard, je sus pour la première fois avec certitude qu'il n'était pas ici en cause. C'était un cœur particulier. Il était déjà en train de tout reprendre depuis le commencement.

Je sais que je me figurai de ne pouvoir aussitôt repartir en voyage. Il faut d'abord que tout soit mis en ordre, me répétais-je. Mais je ne voyais pas très clairement ce qui voulait être mis en ordre. Il n'y avait pour ainsi dire rien à faire. J'allais et venais dans la ville et je remarquais qu'elle s'était transformée. Il m'était agréable, en sortant de l'hôtel où j'étais descendu, de découvrir que c'était à présent une ville pour grandes personnes, qui faisait état de toutes ses ressources presque comme aux yeux d'un étranger. Tout avait cependant un peu rapetissé et je descendais la Langelinie jusqu'au phare et revenais de nouveau sur mes pas. Lorsque je m'approchai de l'Amaliengade, il arriva cependant que, je ne sais d'où, émanât quelque influence dont on avait retenu des années durant l'autorité et qui essayait encore une fois sur vous sa puissance. Il y avait là certaines fenêtres de coin, ou certains porches, ou certaines lanternes qui savaient bien des choses sur vous et qui vous en menaçaient. Je les regardais en face et leur faisais sentir que j'habitais l'hôtel Phénix et que d'un instant à l'autre je pouvais repartir. Mais ma conscience n'en était pas rassurée. Je commençais à soupçonner que, peut-être, je n'avais surmonté encore aucune de ces influences et de ces correspondances. Je les avais quittées un jour en secret, tout inachevées qu'elles étaient. L'enfance aussi resterait encore à parfaire si l'on ne veut pas la considérer comme perdue à jamais. Et tandis que je comprenais comment je la perdais, je sentais en même temps que jamais je ne posséderais autre chose sur quoi je pourrais m'appuyer.

Je passais tous les jours quelques heures dans la Dronningens Tvaergade, dans ces chambres étroites qui avaient un air offensé comme tous les appartements où quelqu'un est mort. J'allais et venais entre la table à écrire et le grand poêle en faïence blanche, et je brûlais les papiers du capitaine des chasses. J'avais commencé par jeter au feu les liasses entières des lettres, telles que je les avais trouvées, mais les petits paquets étaient trop bien ficelés et seul le rebord charbonnait. Je dus surmonter une certaine répugnance à les dénouer. La plupart avaient une odeur forte et pénétrante qui fonçait sur moi comme si, en moi aussi, elle avait voulu éveiller des souvenirs. Je n'en avais point. Il arrivait alors que des photographies s'échappassent, qui étaient plus lourdes que tout le reste ; ces photographies brûlaient avec une incroyable lenteur. Je ne sais pas comment ceci survint : soudain je me figurai que le portrait d'Ingeborg pouvait se trouver là. Mais, chaque fois que je regardais, c'étaient des femmes mûres, magnifiques, et d'une beauté trop évidente, qui me suggéraient des pensées toutes différentes Car il apparaissait à présent que je n'étais pas tout à fait dépourvu de souvenirs. C'était dans de tels yeux exactement que je me trouvais parfois lorsque, au temps où je commençais à grandir, je traversais la rue au côté de mon père. Alors, du fond d'une voiture, elles pouvaient m'envelopper d'un regard duquel on n'échappait que difficilement. Je savais, à présent, qu'elles me comparaient à lui et que la comparaison ne tournait pas à mon avantage. Non, certes, le capitaine des chasses n'avait aucune comparaison à redouter.

Il se peut que je sache à présent quelque chose qu'il a redouté. Je veux dire ce qui m'a conduit à cette supposition. Au fond de son portefeuille se trouvait un papier qui avait été longtemps plié, était devenu friable et s'était brisé aux plis. Je l'ai lu avant de le brûler. C'était écrit de sa main la plus soigneuse, écrit d'une manière sûre et régulière, mais je remarquai aussitôt que ce n'était qu'une copie.

« Trois heures avant sa mort », ainsi commençait le feuillet qui traitait de Christian IV. Bien entendu je ne saurais en répéter littéralement le contenu. « Trois heures avant sa mort, il demanda à se lever. Le médecin et le valet de chambre Wornius l'aidèrent à se redresser. Il était debout, assez mal assuré, mais il était debout, et ils le revêtirent de sa robe de chambre piquée. Puis il s'assit soudain sur le rebord du lit et dit quelque chose. Il n'y avait pas moyen de le comprendre. Le médecin tenait toujours sa main gauche pour que le roi ne s'affalât pas en arrière dans le lit. Ils restèrent assis de la sorte et le roi disait, de temps à autre, avec peine et trouble, cette parole inintelligible. Enfin le médecin commença à l'encourager et à lui parler ; il espérait peu à peu deviner ce que le roi voulait dire. Au bout d'un instant, le roi l'interrompit et dit tout à coup, très clairement : « O docteur, docteur, comment vous appelez-vous ? » Le médecin eut peine à s'en souvenir.

« Sperling, sire. »

« Mais ceci n'importait pas du tout. Le roi, dès qu'il eut entendu qu'on le comprenait, ouvrit tout grand l'œil droit qui lui était resté et dit, avec tout son visage, le mot — le seul qu'il y eût encore — que sa langue formait depuis des heures : « *Döden*, dit-il, *Döden*[1]. »

Il n'y avait rien de plus sur la feuille que j'avais trouvée. Je la relus plusieurs fois avant de la brûler. Et je me souvins que mon père avait beaucoup souffert dans les derniers temps. On me l'avait d'ailleurs raconté.

Depuis ce temps j'ai beaucoup réfléchi sur la peur de la mort, non sans faire entrer dans ces considérations certaines expériences personnelles. Je crois pouvoir dire que je l'ai ressentie. Elle s'empara de moi en pleine ville, au milieu des gens, souvent tout à fait sans raison. D'autres fois, au contraire, les raisons se multipliaient ; par exemple, lorsque quelqu'un sur un banc s'abandonnait, et tous étaient debout autour de lui et le regardaient, et il avait déjà dépassé la peur : alors, à mon tour j'éprouvais sa peur. Ou bien, autrefois, à Naples : cette jeune personne était assise en face de moi, en tramway, et mourut. D'abord on crut à un évanouissement et, durant un moment, la voiture ne s'arrêta même pas. Mais ensuite il n'y eut plus de doute possible que nous dussions nous arrêter. Et, derrière nous, stationnaient les voitures et se

1. La mort, la mort.

faisaient plus nombreuses, comme si cette direction était à jamais interdite. La jeune fille pâle et grasse eût pu mourir tranquillement, appuyée ainsi sur sa voisine. Mais sa mère ne le permit pas. Elle lui fit toutes les difficultés possibles. Elle mit ses vêtements en désordre et lui versa quelque chose dans la bouche qui ne gardait plus rien. Elle frotta sur son front un liquide que quelqu'un avait apporté. Et lorsque les yeux alors se déboîtèrent un peu, elle commença à la secouer pour que son regard revînt en avant. Elle criait dans ses yeux qui n'entendaient pas, elle tiraillait et bousculait le tout, de gauche à droite, comme une poupée, et, enfin, elle prit un élan et frappa de toutes ses forces cette figure bouffie pour qu'elle ne mourût pas. Alors, à mon tour, j'eus peur.

Mais j'avais eu peur auparavant déjà. Par exemple, lorsque mon chien mourut. Celui qui m'accusa une fois pour toutes. Il était très malade. Toute la journée j'étais resté agenouillé près de lui lorsque, soudain, un aboiement bref et saccadé, tel qu'il en poussait lorsqu'un étranger entrait dans la chambre, le dressa. Un tel aboiement avait été en quelque sorte convenu entre nous pour ces cas-là, et machinalement, je me retournai vers la porte. Mais c'était déjà en lui. Inquiet, je cherchai son regard, et lui aussi chercha le mien. Non pas pour prendre congé de moi. Il me regardait avec une surprise étrange et dure. Il me reprochait d'avoir laissé entrer. Il était persuadé que j'eusse pu empêcher cela. A présent, il apparaissait qu'il avait trop présumé de mon pouvoir. Et il n'était plus temps de le désabuser. Il me regarda avec un étonnement douloureux et un air de solitude jusqu'à ce que tout fût fini.

Ou bien j'avais peur lorsqu'en automne, après les premières nuits de gelée, les mouches venaient dans les chambres et se ranimaient encore une fois à la chaleur.

Elles étaient singulièrement desséchées et s'effrayaient de leur propre bourdonnement ; on voyait qu'elles-mêmes ne savaient plus trop ce qu'elles faisaient. Elles restaient immobiles durant des heures et se laissaient aller jusqu'à ce qu'elles se souvinssent de nouveau qu'elles vivaient encore ; alors elles se jetaient à l'aveuglette n'importe où, et ne comprenaient pas ce qu'elles y voulaient, et on les entendait retomber plus loin, ici, là, ou ailleurs. Et, enfin, elles se traînaient partout et couvraient peu à peu toute la chambre de leur mort.

Et même lorsque j'étais seul il arrivait que j'eusse peur. Pourquoi devrais-je feindre que ces nuits n'aient pas été, durant lesquelles la peur de la mort me dressait et me faisait m'accrocher à cette pensée, que se mettre sur son séant était du moins encore de la vie : que les morts, eux, n'étaient pas assis.

C'était toujours dans ces chambres de hasard qui m'abandonnaient aussitôt que je me trouvais mal, comme si elles avaient craint d'être compromises et mêlées à mes méchantes histoires. J'étais assis, et sans doute mon aspect était-il si effrayant que rien n'avait le courage de fraterniser avec moi. La lumière même à qui je venais de rendre le service de l'allumer ne voulait rien savoir de moi. Elle brûlait pour elle seule, comme dans une chambre vide. Mon dernier espoir était alors toujours la fenêtre. Je me figurais qu'il pourrait y avoir encore, là dehors, quelque chose qui m'appartînt, même à présent, à l'heure de cette pauvreté de mourir. Mais à peine avais-je regardé dans cette direction, que je souhaitais que la fenêtre eût été barricadée, fermée comme le mur. Car à présent je savais que tout se continuait là-bas avec la même indifférence, que dehors aussi il n'existait rien d'autre que ma solitude. La solitude que j'avais faite autour de moi, et dont la grandeur n'était pas proportionnée à mon cœur. Je me rappelais des hommes que j'avais une fois quittés et je ne comprenais pas que l'on pût jamais quitter des hommes.

Mon Dieu, mon Dieu, si de telles nuits encore m'attendent, laissez-moi du moins une de ces pensées que parfois je pouvais poursuivre. Ce n'est pas trop déraisonnable d'implorer cela ; car je sais qu'elles naissaient précisément de la peur, parce que ma peur était trop grande. Lorsque j'étais encore un enfant, ils me frappèrent au visage et me dirent que j'étais lâche. C'était parce que ma peur n'avait encore aucune valeur. Mais depuis lors j'ai appris à avoir peur d'une peur véritable, qui ne grandit que comme grandit la force qui la produit. Nous ne pouvons mesurer cette force que par notre peur. Car elle est si inintelligible, si entièrement dirigée contre nous, que notre cerveau se décompose à l'endroit où nous nous efforçons de la penser. Et cependant, depuis quelque temps, je crois que c'est notre force à nous, toute notre force qui est encore trop grande pour nous. Il est vrai que nous ne la connaissons pas, mais n'est-ce pas ce qui nous appartient le plus dont nous savons le moins ? Quelquefois je songe comment le ciel est devenu, et comment la mort : nous avons éloigné de nous nos biens les plus précieux, parce que nous avions encore tant d'autres choses à faire auparavant, et parce qu'ils n'étaient pas en sécurité chez nous, gens trop absorbés. A présent, des temps sont révolus et nous nous sommes habitués à des biens moindres, nous ne connaissons plus notre bien, et nous nous effrayons de son extrême grandeur. N'est-ce pas possible ?

D'ailleurs, je comprends parfaitement que l'on conserve au fond de son portefeuille le récit d'une heure d'agonie, tant d'années durant. Il ne serait même pas nécessaire qu'elle fût particulièrement choisie. Elles ont toutes quelque chose de presque rare. Ne peut-on par exemple se représenter quelqu'un qui copierait un récit de la mort de Félix Arvers ? Il était à l'hôpital. Il mourut doucement et paisiblement, et la religieuse le croyait peut-être plus avancé qu'il n'était en réalité. Elle cria très fort un ordre quelconque vers le dehors en indiquant où se trouvait tel ou tel objet. C'était une nonne illettrée et assez simple ; elle n'avait jamais écrit le mot « corridor » qu'à cet instant elle ne put éviter ; il arriva ainsi qu'elle dit « collidor » parce qu'elle croyait qu'il fallait prononcer ainsi. Alors Arvers repoussa la mort. Il lui semblait nécessaire d'éclaircir d'abord ceci. Il devint tout à fait lucide et lui expliqua qu'il fallait dire « corridor ». Puis il mourut. C'était un poète, et il haïssait l'à peu près ; ou, peut-être, la vérité lui importait-elle seule ; ou encore il était fâché de devoir remporter comme dernière impression que le monde continuait à vivre si négligemment. Il ne sera sans doute plus possible de trancher ces questions. Mais qu'on ne croie pas surtout qu'il agit ainsi par pédanterie. Sinon, le même reproche atteindrait aussi saint Jean-de-Dieu qui sursauta en pleine agonie et arriva juste à temps pour détacher au jardin l'homme qui venait de se pendre et dont l'acte avait pénétré d'étrange façon dans la tension intérieure de son agonie. A lui aussi la vérité seule importait.

Il existe un être qui est tout à fait inoffensif. Lorsqu'il passe sous tes yeux, tu l'aperçois à peine et tu l'as aussitôt oublié. Mais qu'invisible, il atteigne en quelque façon tes oreilles, aussitôt il s'y développe, il éclôt pour ainsi dire, et l'on a vu des cas où il s'introduisait jusque dans le cerveau, et croissait dans cet organe en le ravageant, semblable aux pneumocoques du chien qui pénètrent par le nez.

Cet être, c'est le voisin.

Eh bien, depuis que, tout seul, je vais ainsi d'un endroit à l'autre, j'ai eu d'innombrables voisins. Voisins d'en haut et voisins d'en bas, voisins de droite et voisins de gauche. Quelquefois les quatre espèces en même temps. Je pourrais tout simplement écrire l'histoire de mes voisins : ce serait là une œuvre qui remplirait une vie entière. Il est vrai que ce serait plutôt l'histoire des symptômes de maladies qu'ils ont déterminés en moi. Mais ils partagent avec tous les êtres de leur espèce cette particularité, qu'on ne peut faire la preuve de leur présence que par les troubles qu'ils causent dans certains tissus.

J'ai connu des voisins dont les actes étaient imprévisibles et d'autres qui étaient très réguliers. Je suis resté assis longtemps pour essayer de trouver la loi des premiers ; car il était évident qu'eux aussi avaient une loi. Et lorsque les voisins ponctuels manquaient à leurs habitudes et ne rentraient pas, j'imaginais ce qui avait pu leur arriver et je laissais brûler ma lumière, et je m'inquiétais comme une jeune femme. J'ai eu des voisins qui éprouvaient justement de la haine, et des voisins qui étaient en proie à un grand amour ; ou bien je vivais l'instant où l'une se changeait brusquement en l'autre, au beau milieu de la nuit, et naturellement il ne fallait plus alors songer à dormir. D'une façon générale, on pouvait observer que le sommeil est, en fait, beaucoup moins fréquent que l'on n'admet communément. Mes deux voisins de Saint-Pétersbourg par exemple faisaient très peu de cas du sommeil. L'un était debout et jouait du violon, et je suis sûr qu'en même temps il regardait dans les maisons d'en face, trop éveillées, qui ne cessaient d'être claires durant ces invraisemblables nuits d'août. Quant à mon voisin de droite, il est vrai qu'il était couché. De mon temps, il ne se levait plus du tout. Il avait même fermé les yeux, mais l'on n'aurait pu dire qu'il dormait. Il était couché et déclamait de longs poèmes : des poèmes de Pouchkine et de Nekrassov, sur le ton de mélopée sur lequel les enfants récitent des poésies lorsqu'on le leur demande. Et, malgré la musique de mon voisin de gauche, c'était celui-ci qui dans ma tête se métamorphosait, et Dieu sait ce qui serait éclos de cette chrysalide, si l'étudiant qui lui rendait parfois visite ne s'était un jour trompé de porte. Il me raconta l'histoire de son ami, et il advint qu'elle était en quelque sorte rassurante. Tout au moins était-ce une histoire littérale, à sens unique, qui fit périr la nombreuse vermine de mes suppositions.

Ce petit fonctionnaire, mon voisin, avait eu, un dimanche, l'idée de résoudre un problème singulier. Il supposa qu'il vivrait encore très longtemps, mettons cinquante années. La générosité qu'il montrait ainsi envers lui-même, le transporta dans une excellente humeur. Mais à présent, il voulut se surpasser. Il réfléchit que l'on pouvait changer ces années en jours, en heures, en minutes et même, si on le supportait, en secondes ; et il calcula et obtint un total, tel qu'il n'en avait jamais vu. Il eut le vertige, et dut se reposer un peu. Le temps était précieux, avait-il toujours entendu dire, et il s'étonnait que vraiment l'on ne songeât pas à veiller sur un homme qui possédait une telle quantité de temps. Avec quelle facilité on aurait pu le voler ! Mais ensuite revint sa bonne humeur, une bonne humeur presque exubérante. Il revêtit sa pelisse, pour paraître plus large d'épaules et plus imposant, et il se fit don à lui-même de tout ce capital fabuleux, en s'adressant la parole avec un peu de condescendance.

« Nikolaï Kousmitch », dit-il avec bienveillance — et il se figurait qu'il était encore assis, maigre et misérable, sur le sofa bourré de crin de cheval. « Nikolaï Kousmitch », dit-il, « j'espère, mon bon ami, que vous n'allez pas tirer vanité de votre richesse. Songez toujours que ce n'est pas là l'essentiel, et il y a de pauvres gens qui sont tout à fait respectables ; il y a même des gentilshommes et des filles de généraux tombés dans l'indigence qui vont et viennent dans la rue, et vendent Dieu sait quoi. » Et le bienfaiteur invoquait encore toutes sortes d'exemples bien connus en ville.

L'autre Nikolaï Kousmitch qui était sur le sofa bourré de crin de cheval, n'avait nullement l'air prétentieux. On pouvait admettre qu'il était raisonnable. En fait il ne changeait rien à sa manière de vivre, modeste et régulière, et il passait à présent les dimanches à mettre ses comptes à jour. Mais au bout de quelques semaines, il fut surpris de l'incroyable rapidité de ses dépenses. Je vais me restreindre, pensa-t-il. Il se levait plus tôt, il se lavait moins minutieusement, il buvait son thé debout, il allait à son bureau en courant et il arrivait beaucoup trop tôt. Il épargnait partout un peu de temps. Mais le dimanche, il ne restait rien de ce qu'il avait épargné. Alors il comprit qu'il avait été dupé. Je n'aurais pas dû changer, se dit-il. Que ne retirerait-on pas d'une belle année bien intacte ? Mais cette maudite petite monnaie, cela s'en va, on ne sait trop comment. Et vint une laide après-midi qu'il passa dans un coin de sofa, à attendre le seigneur en pelisse auquel il voulait redemander son temps. Il verrouillerait la porte et empêcherait l'autre de repartir avant qu'il eût tiré sa bourse pour s'acquitter. « En billets, rirait-il, au besoin de dix années. » Quatre billets

de dix et un de cinq, et qu'il s'en allât au diable avec le
reste. Oui, Nikolaï Kousmitch était prêt à renoncer au
reste, pourvu qu'il n'y eût pas de difficultés. Exaspéré, il
était assis sur son sofa bourré de crin de cheval, et
attendait. Mais le seigneur ne venait pas. Et lui, Nikolaï
Kousmitch, qui, voici quelques semaines, s'était vu si
aisément s'asseoir ici, ne parvenait plus, à présent qu'il
était vraiment assis, à se représenter l'autre Nikolaï
Kousmitch, l'homme à la pelisse, l'homme généreux.
Dieu sait ce qu'il était devenu. Peut-être avait-on découvert ses escroqueries et peut-être était-il écroué quelque
part. Sans doute n'avait-il pas fait que cette victime. De
tels aventuriers travaillent toujours en grand.

Mais n'y avait-il pas, se demanda Nikolaï Kousmitch,
un service de l'État, une sorte de Banque du Temps, où il
pourrait tout au moins changer une partie de ses misérables secondes ? Après tout, n'étaient-elles pas authentiques ? Il n'avait jamais entendu parler d'une telle institution, mais dans un livre d'adresses on devait trouver
facilement cela, sous la lettre B, ou, par exemple, sous T.
Éventuellement, il faudrait regarder aussi à la lettre I, car
on pouvait admettre que ce fût une Banque Impériale.
Cela répondait à son importance.

Plus tard Nikolaï Kousmitch assurait toujours qu'il
n'avait rien bu ce dimanche soir-là, bien que, naturellement, il se fût trouvé dans un état d'esprit très déprimé. Il
était donc complètement à jeun lorsque ceci advint, pour
autant que l'on peut dire ce qui arriva. Peut-être s'était-il
endormi dans son coin, cela on l'imaginerait assez facilement. Ce petit somme commença par l'alléger. Je me suis
commis avec les chiffres, se dit-il. Bon, je n'entends rien
aux chiffres. Mais il est évident que l'on ne doit pas leur
accorder une importance trop grande, ils ne sont en
quelque sorte eux-mêmes qu'une organisation de l'État,

créée pour l'amour de l'ordre. Personne avait-il jamais vu des chiffres ailleurs que sur le papier ? Il était exclu que l'on rencontrât dans le monde par exemple un Sept, ou un Vingt-cinq. Cela n'existait pas, voilà tout. Et voici qu'il avait fait cette petite confusion, par simple inadvertance : le Temps et l'Argent, comme si l'on ne pouvait séparer ces deux choses. Nikolaï Kousmitch éclata presque de rire. Il était bon que l'on découvrît ses propres détours, qu'on les découvrît à temps : à temps, oui, c'était là l'essentiel. A présent tout allait changer. Le temps était certes une gêne considérable. Mais ne se décomposait-il pas en secondes pour eux aussi, pour tous ceux qui l'ignoraient ?

Nikolaï Kousmitch n'était pas tout à fait exempt d'une joie maligne : « Qu'il aille toujours... » s'apprêtait-il à penser lorsque survint un événement singulier. Il sentit soudain un souffle sur son visage, c'était comme si le vent passait autour de ses oreilles ; il le sentait sur ses mains, il ouvrit les yeux tout grands. La fenêtre était bien fermée. Et, comme il était assis là, avec des yeux élargis, dans la chambre sombre, il commença à comprendre que le Temps qu'il sentait à présent, était le véritable Temps qui passait sur lui. Il les reconnaissait littéralement, toutes ces petites secondes, également tièdes, l'une pareille à l'autre, mais si rapides, Dieu sait ce qu'elles projetaient encore. Et que cette aventure dût lui arriver, justement à lui qui éprouvait tout courant d'air presque comme une offense ! A présent on serait assis, et le courant continuerait à passer toute une vie durant. Il prévoyait toutes les névralgies qu'il gagnerait, il était hors de lui de rage. Il se leva d'un bond, mais n'était pas encore à bout de surprises. Sous ses pieds aussi il y avait quelque chose qui semblait un mouvement, non pas un mouvement, mais plusieurs mouvements, qui oscillaient singulièrement l'un

dans, et contre l'autre : Nikolaï Kousmitch se raidit
d'effroi. Était-ce cela, la terre ? Certainement, c'était la
terre. Et, en effet, ne bougeait-elle pas ? A l'école on
avait parlé de cela, on était rapidement passé là-dessus et
plus tard encore on l'escamotait volontiers. On ne tenait
pas pour bienséant d'en parler. Mais à présent qu'il était
devenu sensible, il éprouvait également cela. Les autres
l'éprouvaient-ils ? Peut-être ils ne le laissaient pas voir.
Sans doute n'en étaient-ils pas incommodés, ces marins.
Mais Nikolaï Kousmitch était justement un peu délicat à
cet égard, il évitait même les tramways. Il chancelait dans
sa chambre, comme sur le pont d'un bateau, et il devait se
retenir, à gauche et à droite. Pour comble, il se souvint
encore vaguement d'avoir entendu parler de la position
oblique de l'axe terrestre. Non, il ne pouvait supporter
tous ces mouvements, il avait mal au cœur. Rester couché
et se tenir tranquille, avait-il lu, un jour, quelque part. Et
depuis lors, Nikolaï Kousmitch restait couché.

Il était couché, et tenait les yeux fermés. Et il y avait
des périodes de jours en quelque sorte moins mouvemen-
tés, où la vie était tout à fait supportable. Et puis il avait
eu cette idée des poèmes. On n'aurait pu dire combien
cela vous secourait. Lorsqu'on récitait ainsi, lentement,
un poème, avec l'intonation monotone des rimes, alors il
y avait en quelque sorte, une chose stable que l'on
pouvait regarder fixement, intérieurement, bien entendu.
Quel bonheur qu'il sût par cœur tous ces poèmes ! Mais il
s'était toujours particulièrement intéressé à la littérature.
Il ne se plaignait pas de son état, m'assurait l'étudiant qui
le connaissait depuis longtemps. A la longue cependant il
avait commencé à concevoir une admiration exagérée
pour ceux qui, tel l'étudiant, allaient et venaient, et
supportaient le mouvement de la terre.

Je me souviens très exactement de cette histoire parce

qu'elle me rassura singulièrement. Je puis même dire que je n'ai jamais eu de voisin aussi agréable que ce Nikolaï Kousmitch qui certainement m'eût admiré, moi aussi.

Après cette expérience je décidai d'aller en pareil cas toujours droit aux faits. Je remarquai combien ils étaient simples et rassurants, au contraire des suppositions. Comme si je n'avais pas su que toutes nos connaissances ne sont qu'additionnelles, qu'elles sont des bilans, voilà tout. Aussitôt après commence une nouvelle page, qui a un objet tout différent, sans report. En quoi, par exemple, pouvaient m'aider, en la circonstance présente, les quelques faits qu'il était un jeu d'enfant d'établir ? Je vais les énumérer aussitôt que j'aurai dit ce qui m'occupe en ce moment, savoir : qu'ils ont plutôt contribué à aggraver ma situation, qui, je le reconnais maintenant, était vraiment difficile.

Je dirai à mon honneur que j'ai beaucoup écrit ces jours-là ; j'ai écrit avec une ardeur convulsive. Sans doute, lorsque j'étais sorti, je ne pensais pas volontiers à rentrer. Je faisais même de petits détours et perdais de la sorte une demi-heure, durant laquelle j'aurais pu écrire. J'accorde que c'était là une faiblesse. Mais dès que j'étais dans ma chambre je n'avais rien à me reprocher. J'écrivais, j'avais ma vie, et ce qui était à côté était une autre vie, avec quoi je ne partageais rien : la vie d'un étudiant en médecine qui prépare son examen. Je n'avais rien de semblable en perspective, c'était déjà là une différence essentielle. Et, à d'autres égards encore, les circonstances de nos vies étaient aussi différentes que possible. Tout cela me sautait aux yeux. Jusqu'à l'instant où je sus que cela devait venir ; alors j'oubliai qu'il n'y avait entre nous aucune communauté. J'écoutai de telle sorte que mon cœur battit soudain très perceptiblement. J'interrompis tout, et j'écoutai. Et alors cela vint : je ne me suis jamais trompé.

Presque tout le monde connaît le bruit que fait un petit objet rond, quelconque, en fer-blanc, mettons par exemple le couvercle d'une boîte, lorsqu'il vous a échappé. Généralement il n'arrive même pas avec beaucoup de bruit au terme de sa course, il tombe brièvement, continue à rouler sur le bord et ne commence vraiment à causer un sentiment désagréable que lorsque, arrivé presque au bout de son élan, il chavire de tous côtés, pris de vertige, avant d'entrer dans la position couchée. Eh bien ! donc : c'est tout ; un tel objet en fer-blanc tombait dans la pièce voisine, roulait, restait couché et, entre temps, à intervalles réguliers, on entendait trépigner. Comme tous les bruits qui s'imposent, à force de se répéter, celui-ci aussi s'était organisé intérieurement ; il se nuançait, ce n'était jamais exactement le même. Mais ceci précisément le faisait paraître plus légitime. Il pouvait être violent, ou adouci, ou mélancolique ; il pouvait passer avec une hâte en quelque sorte irréfléchie, ou glisser pendant un temps infini, avant de trouver le repos. Et la dernière oscillation était toujours surprenante. En revanche, le trépignement qui l'accompagnait semblait presque mécanique. Mais il découpait le bruit d'une manière chaque fois différente : c'était là, semblait-il, son rôle. Je domine maintenant beaucoup mieux tous ces détails ; la chambre voisine à présent est vide. Il est rentré chez lui, en province. Il devait s'y reposer. J'habite l'étage supérieur de la maison. A ma droite il y a une autre maison ; sous ma chambre, personne encore n'a emménagé : je suis sans voisin.

Dans cette situation je m'étonne presque de n'avoir pas

pris ces événements d'un cœur plus léger. Bien qu'un
sentiment secret m'en ait toujours averti d'avance. Il
aurait fallu profiter de cela. Ne t'effraie pas, aurais-je dû
me dire, voici que cela vient. Ne savais-je pas que je ne
me trompais jamais? Mais mon émotion tenait précisément aux faits que l'on m'avait appris; depuis que je
savais je m'effrayais plus facilement encore. La pensée
me touchait avec l'étrangeté d'un fantôme, que ce qui
provoquait ce bruit, c'était ce petit mouvement lent et
silencieux par lequel sa paupière s'abaissait d'elle-même,
et se fermait sur son œil droit tandis qu'il lisait. C'était là
l'essentiel de son histoire, une bagatelle. Plusieurs fois
déjà il avait laissé passer des examens, son ambition était
devenue susceptible, et les gens de chez lui le harcelaient
sans doute, toutes les fois qu'ils écrivaient. Que lui
restait-il d'autre à faire que de tenter un dernier effort?
Mais voici que, quelques mois avant la date décisive, cette
faiblesse était survenue; cette petite fatigue inadmissible,
qui semblait aussi ridicule qu'un rideau qui ne voudrait
pas rester fixé en haut de la fenêtre. Je suis certain que
durant des semaines il estima que l'on devait pouvoir
dominer cela. Sinon, l'idée ne me serait pas venue de lui
offrir ma propre volonté. Un jour je compris en effet qu'il
était arrivé au bout de la sienne. Et depuis lors, quand je
sentais approcher l'incident, j'étais là, debout, de mon
côté du mur, et je le priais de se servir. Et, peu à peu, je
comprenais qu'il avait accepté. Peut-être ne l'eût-il pas
avoué, surtout si l'on songe que, en définitive, je ne
l'aidais en rien. Supposons même que nous parvenions à
créer un léger retard, il était cependant douteux qu'il fût
véritablement en état d'employer les instants que nous
gagnions ainsi. Et cependant je commençais à me ressen-
tir de mes dépenses. Je sais que je me demandais si cela
pourrait continuer ainsi, l'après-midi justement où quel-

qu'un arriva à notre étage. Ceci causait toujours beaucoup d'agitation dans l'hôtel, à cause de l'étroitesse de
l'escalier. Un instant après il me sembla que l'on entrait
chez mon voisin. Nos portes étaient les dernières du
couloir, la sienne, située en pan coupé, tout à côté de la
mienne. Mais je savais qu'il recevait quelquefois des amis
chez lui, et, comme dit, je ne m'intéressais pas du tout
aux conditions de sa vie. Il est possible que sa porte fût
ouverte encore plusieurs fois, que dehors l'on allât et vînt.
De cela je n'étais vraiment pas responsable.

Or donc, ce soir-là, ce fut pire que jamais. Il n'était pas
encore très tard, mais, fatigué, j'étais allé me coucher ; je
croyais que probablement je pourrais dormir. Subitement, je sursautai comme si l'on m'avait touché. Aussitôt
après, cela commença. Cela sauta et roula et se heurta
contre quelque chose, et tangua et battit. Le trépignement était effrayant. Dans les intervalles on frappait d'en
bas des coups de canne de plus en plus graves, distincts et
irrités contre le plafond. Le nouveau locataire aussi était
naturellement incommodé. A présent ce devait être sa
porte. J'étais si éveillé que je crus entendre sa porte, bien
qu'il dût la manier avec des précautions étonnantes. Il me
sembla qu'il s'approchait. Il voulait certainement savoir
de quelle chambre venait le bruit. Ce qui m'étonnait,
c'étaient les précautions vraiment exagérées qu'il prenait.
Il avait dû cependant remarquer à l'instant que l'on
n'était pas dans cette maison à un peu de bruit près.
Pourquoi étouffait-il ainsi son pas ? Un instant je le crus
devant ma porte, et puis j'entendis — cela ne faisait
aucun doute — qu'il entrait dans la chambre voisine. Il y
entra sans attendre.

Et à présent (oui, comment dois-je décrire cela ?), à
présent il y eut un silence. Un silence comme lorsqu'une
douleur cesse. Un silence singulièrement sensible, et qui

vous démangeait comme une blessure qui guérit. J'aurais
pu m'endormir aussitôt ; j'aurais pu prendre haleine et
m'endormir. Ma surprise seule me tint éveillé. Quelqu'un
parlait à côté, mais cela aussi faisait partie du silence. Il
faut avoir vécu cette paix, car on ne saurait la reproduire.
Dehors aussi tout était comme aplani. Je me mis sur mon
séant, j'écoutai, c'était comme à la campagne. Mon Dieu,
songeai-je, sa mère est là. Elle était assise à côté de la
lampe, elle lui parlait, peut-être avait-il appuyé légèrement la tête sur son épaule. Dans un instant elle allait le
mettre au lit. A présent je comprenais cette démarche si
légère, tout à l'heure, dans le couloir. Ah, qu'il y eût cela,
qu'il y eût un tel être devant lequel les portes s'effacent,
tout autrement que devant nous !... Oui, à présent nous
pouvions dormir.

J'avais presque de nouveau oublié mon voisin. Je vois
bien que je n'avais pas pour lui une sympathie véritable.
En bas je demande de temps à autre en passant si l'on a
reçu des nouvelles de lui, et lesquelles. Et je me réjouis
lorsqu'elles sont bonnes. Mais j'exagère. En réalité je n'ai
pas besoin de savoir. Et cela ne le concerne pas du tout,
quand parfois j'éprouve un soudain chatouillement d'envie d'entrer à côté. Il n'y a qu'un pas, de ma porte à la
sienne, et la chambre n'est pas fermée. Je serais curieux
de savoir comment est faite cette pièce. On peut se
représenter facilement une chambre quelconque, et souvent votre pensée correspond à peu près à la réalité. Mais
seule la chambre que l'on a à côté de soi, est toujours
toute différente de ce que l'on pensait.

Je me dis qu'elle me tente pour cette raison. Mais je
sais parfaitement que c'est certain objet en fer-blanc qui

m'y attend. J'ai supposé qu'il s'agissait vraiment d'un couvercle de boîte, bien que je puisse naturellement me tromper. Cela ne m'inquiète pas. Ma disposition d'esprit est telle que je suis tenté de tout attribuer à un couvercle de boîte. On pense bien qu'il ne l'a pas emporté. Sans doute a-t-on rangé la chambre, et a-t-on placé le couvercle sur sa boîte comme il convient. Et ils forment à présent ensemble le concept : boîte, boîte ronde plus exactement, un concept simple, et très répandu. Il me semble me rappeler qu'elles doivent être sur la cheminée, ces deux parties qui composent la boîte. Oui, elles sont même devant la glace, de sorte qu'il se forme une seconde boîte qui ressemble à s'y méprendre à la première, mais qui est imaginaire. Une boîte à laquelle nous n'attribuons aucune valeur, mais dont un singe par exemple voudrait se saisir. C'est vrai : ce seraient même deux singes, car le singe aussi serait double, aussitôt qu'il serait arrivé au rebord de la cheminée. Eh bien donc, c'est le couvercle de cette boîte qui m'en veut.

Mettons-nous d'accord sur ce point : le couvercle d'une boîte saine dont le bord ne serait pas bosselé, un tel couvercle ne devrait pas avoir d'autre désir que de se trouver sur sa boîte. Cela serait la situation la plus lointaine qu'il serait capable d'imaginer, et qui impliquerait une satisfaction insurpassable, le contentement de tous ses désirs. N'est-ce pas presque un idéal de reposer ainsi, également, patiemment et doucement coiffé sur un petit renflement et de sentir en soi un rebord qui s'avance, élastique et non moins aigu que n'est votre propre bord lorsque vous êtes détachés l'un de l'autre. Mais, hélas, combien peu de couvercles savent apprécier cela ! Il apparaît clairement ici combien les rapports des hommes avec les objets ont provoqué chez ces derniers de troubles. Car les hommes, lorsqu'il est permis en passant de les comparer à de tels couvercles, ne restent assis près de leurs occupations que contre leur gré et de méchante humeur. Soit que dans leur hâte ils n'aient pas trouvé la bonne fonction, soit que dans la colère on les ait posés de travers, soit parce que les rebords qui devraient s'appuyer les uns sur les autres, sont déformés, chacun d'une autre manière. Disons-le donc en toute franchise : au fond d'eux-mêmes ils ne cessent de penser, toutes les fois que l'occasion s'en présente, à rouler et à sonner creux. D'où sans cela proviendraient les prétendues distractions, et le bruit qu'ils font ?

Or les objets assistent à ce spectacle depuis des siècles. Rien d'étonnant qu'ils soient corrompus, qu'ils perdent le goût de leur but naturel et simple, qu'ils veuillent profiter de l'existence comme on en profite autour d'eux. Ils essaient de se dérober à leurs emplois, ils se font mécontents et négligents. Et l'on ne s'étonne pas du tout de les prendre en flagrant délit de fugue. Les hommes eux-mêmes ne se connaissent-ils pas sous ce jour ? Ils se fâchent parce qu'ils sont les plus forts, parce qu'ils estiment avoir plus de droit au changement, parce qu'ils se sentent imités ; mais ils laissent faire comme eux-mêmes se sont laissés aller. Aussi lorsque quelqu'un rassemble ses forces, un solitaire par exemple qui voudrait en toute rondeur reposer sur soi, jour et nuit, il provoque véritablement la contradiction, les railleries et la haine des objets dégénérés qui, conscients qu'ils sont de leur déchéance, ne peuvent plus supporter que l'on se contienne et que l'on recherche son propre sens. Alors ils s'allient pour vous troubler, pour vous effrayer, pour vous égarer, et ils savent que c'est en leur pouvoir. Alors, en se faisant des signes malicieux, ils commencent leur séduction, qui croît peu à peu jusque dans l'infini et entraîne

avec elle tous les êtres, et Dieu lui-même, contre le
solitaire qui peut-être en triomphera : le Saint.

Je comprends à présent ces images étranges dans
lesquelles des objets d'usages limités et réguliers s'éten-
dent et s'essayent, curieux et cupides, les uns sur les
autres, tressautant dans la luxure vague de la distraction.
Ces marmites qui tournent et bouillonnent, ces fioles qui
se mettent à penser, et les entonnoirs inutiles qui s'enfon-
cent dans un trou pour leur plaisir. Et voici déjà, soulevés
par le néant jaloux, et parmi eux, des membres et des
visages qui vomissent leurs jets chauds, et des croupes
complaisantes.

Et le saint se tord et se contracte, mais dans ses yeux il y
avait encore un regard qui tenait cela pour possible : il l'a
entrevu. Et déjà ses sens forment un précipité dans la
solution claire de son âme. Déjà sa prière s'effeuille et se
dresse hors de sa bouche comme un arbrisseau mort. Son
cœur s'est renversé et s'est écoulé vers le trouble. Son
fouet le touche à peine comme une queue qui chasse les
mouches. Son sexe n'est de nouveau qu'à une seule place,
et, lorsqu'une femme s'avance, droite à travers ce grouil-
lement, la poitrine ouverte pleine de seins, il la désigne
comme un doigt levé.

Il fut un temps que je trouvais ces images vieillies. Non
pas que je doutasse de leur réalité. J'imaginais fort bien
que ceci pût arriver aux saints, à ces hommes pleins de
zèle et trop pressés, qui voulaient tout de suite et à tout
prix aborder Dieu. Nous nous assignons aujourd'hui une
tâche plus modeste. Nous devinons qu'Il serait trop
difficile pour nous, que nous devons Le remettre pour
faire peu à peu le long travail qui nous sépare de Lui.

Mais à présent je sais que ce travail mène à des luttes aussi dangereuses que la sainteté ; que ceci arrive autour de tous ceux qui sont solitaires pour l'amour de cette œuvre, comme cela se formait autour des solitaires de Dieu, dans leurs grottes et dans leurs gîtes, autrefois.

Lorsqu'on parle des solitaires, on suppose toujours connues trop de choses. On croit que les gens savent de quoi il s'agit. Non, il ne le savent pas. Ils n'ont jamais vu un solitaire, ils ne l'ont que haï sans le connaître. Ils ont été ses voisins qui l'usaient, et les voix de la chambre voisine qui le tentaient. Ils ont excité les objets contre lui pour les rendre bruyants et les faire crier plus fort que lui. Les enfants se liguèrent contre lui parce qu'il était tendre et enfant ; et à mesure qu'il grandissait, il grandit contre les grands. Ils le dépistaient dans sa cachette comme un animal dont la chasse est ouverte, et durant sa longue jeunesse la chasse contre lui n'était jamais fermée. Et lorsqu'il ne se laissait pas harasser et qu'il s'échappait, ils décriaient ce qui venait de lui et le trouvaient laid et le suspectaient. Et lorsqu'il ne les entendait pas, ils devenaient plus clairs et lui enlevaient sa nourriture devant la bouche, et respiraient son air, et crachaient dans sa pauvreté pour qu'elle lui devînt odieuse. Ils le décriaient comme un être contagieux, et lui jetaient la pierre pour qu'il s'éloignât plus vite. Et leur vieil instinct ne les égarait pas : car il était vraiment leur ennemi.

Mais ensuite, lorsqu'il ne levait toujours pas les yeux, ils réfléchirent. Ils se doutèrent que jusque-là ils n'avaient agi que selon sa volonté, qu'ils le fortifiaient dans sa solitude et qu'ils l'aidaient à se séparer d'eux pour toujours. Et alors ils changèrent d'attitude et employèrent le dernier moyen, l'autre résistance : la gloire. Et à ce bruit la plupart levèrent les yeux et se laissèrent distraire.

Cette nuit je me suis de nouveau rappelé le petit livre vert que je dois avoir possédé autrefois, lorsque j'étais enfant ; et je ne sais pourquoi je m'imagine qu'il devait provenir de Mathilde Brahe. Il ne m'intéressait pas lorsque je le reçus, et je ne le lus que plusieurs années après, je crois, durant mes vacances à Ulsgaard. Mais dès le premier instant il prit pour moi de l'importance. Il était plein de rapports, même considéré de l'extérieur. La couleur verte de la reliure avait un sens, et l'on comprenait aussitôt qu'au dedans il devait être tel qu'il était. Comme si cela avait été concerté, apparaissait d'abord la page de garde, lisse et moirée blanc sur blanc, puis la page de titre que l'on tenait pour mystérieuse. Il eût pu sans doute s'y trouver des images, semblait-il ; mais il n'y en avait point et, bon gré mal gré, l'on devait accorder que ceci encore était dans l'ordre des choses. On était en quelque sorte dédommagé de cette déception, en trouvant un signet mince qui, friable et posé un peu de biais, touchant dans son illusion confiante d'être encore rose, était resté, Dieu sait depuis combien de temps, entre les mêmes pages. Peut-être ne s'en était-on jamais servi, et le relieur l'avait replié avec un soin pressé, sans même le regarder de près. Peut-être aussi n'était-ce pas par hasard. Il se pouvait que quelqu'un eût en cet endroit cessé de lire, qui ne lut plus jamais ; que la destinée à cet instant eût frappé à sa porte pour l'occuper, et qu'il fût emporté loin de tous les livres, qui somme toute ne sont quand même pas la vie. On n'eût pu dire si le livre avait été ensuite encore lu. On pouvait supposer aussi qu'il s'agissait simplement de l'ouvrir à cette page-là toujours, et que c'était arrivé parfois, même très tard dans la nuit. Quoi qu'il en soit j'avais peur de ces deux pages, comme d'un miroir devant lequel une personne est debout. Je ne les ai jamais lues, je ne sais même pas si j'ai lu le livre tout entier. Il n'était pas très épais, mais on y trouvait quantité d'histoires, surtout l'après-midi. Alors il y en avait toujours une que l'on ne connaissait pas encore.

Je ne me souviens que de deux. Je veux dire lesquelles : la fin de Gricha Otrepjov et la chute de Charles le Téméraire.

Dieu sait si elles me firent alors une impression profonde. Maintenant encore, après tant d'années, je me rappelle une description : comment le faux tsar avait été jeté parmi la foule et resta étendu trois jours durant, déchiqueté et criblé, un masque sur le visage.

Il est évident que je n'ai aucune chance de retrouver jamais ce petit livre. Mais ce passage doit avoir été singulier. J'aurais envie de relire le récit de la rencontre avec la mère. Il doit s'être senti très sûr de lui pour qu'il l'ait fait venir à Moscou ; je suis même convaincu qu'à cette époque il avait en lui une foi si forte qu'il crut en effet convoquer sa mère. Et cette Marie Nagoi qui, en étapes rapides, vint de son cloître indigent, n'avait-elle pas tout à gagner si elle disait : oui ? Mais l'incertitude d'Otrepjov ne commença-t-elle pas lorsque cette étrangère l'eut reconnu ? Je ne suis pas éloigné de croire que la force de sa transformation ait consisté à n'être plus le fils de personne.

[Cela, c'est finalement la force de tous les jeunes gens qui sont partis [1].]

---

1. Écrit en marge du manuscrit.

Le peuple qui le souhaitait, sans imaginer quelqu'un de précis, ne rendait que plus libres et plus infinies ses possibilités. Mais la déclaration de la mère, même comme tromperie consciente, avait encore le pouvoir de le diminuer ; elle l'enlevait à la plénitude de son invention ; elle le condamnait à une imitation lassante ; elle le rabaissait au niveau de cet être qu'il n'était pas : elle faisait de lui un imposteur. Et voici que venait encore cette Marina Mniczek qui, plus insensiblement dissolvante, le niait à sa manière, en croyant, ainsi qu'il apparut plus tard, non en lui mais en chacun. Je ne puis, bien entendu, garantir dans quelle mesure tout ceci était pris en considération dans cette histoire. Cela, me semble-t-il, il eût fallu le raconter.

Mais, indépendamment de cela même, cet événement ne serait nullement vieilli. On pourrait à présent imaginer un conteur qui consacrerait beaucoup d'attention aux derniers instants ; il n'aurait pas tort. Ils contiennent une foule de choses : comment, tiré du sommeil le plus intérieur, il saute à la fenêtre, et par-dessus la fenêtre, au milieu des sentinelles. Il ne peut se relever seul. Ils doivent l'aider. Sans doute la jambe est-elle cassée. Soutenu par deux de ses hommes, il sent qu'ils croient encore en lui. Il se retourne : les autres aussi croient en lui. Il a presque pitié d'eux, ces strélitzs géants ; jusqu'à quel point les choses en sont-elles venues ! Ils ont connu Ivan Grosnij dans toute sa réalité, et ils croient en lui. Il serait presque tenté de les tirer d'erreur, mais ouvrir la bouche serait crier. La douleur s'élance dans son pied avec fureur et il fait si peu de cas de lui, en cet instant, qu'il ne sait plus rien que la douleur. Et puis, il n'a pas le temps, ils s'approchent de lui en se poussant, il voit le Schuiskij, et derrière lui tous les autres. Bientôt tout sera passé. Mais alors ses gardes se referment autour de lui. Ils ne l'abandonnent pas. Et un miracle a lieu. La foi de ces vieux hommes se propage, tout à coup plus personne ne veut s'avancer. Schuiskij tout près d'Otrepjov appelle désespérément vers une fenêtre d'en haut. Le faux tsar ne se retourne pas. Il sait qui est debout là-haut. Il comprend que le silence se fasse, un silence subit, sans transition. A présent la voix va venir, cette voix qu'il connaît d'autrefois, cette haute voix fausse qui se force. Et alors il entend la mère tsarine qui le renie.

Jusqu'ici les choses vont d'elles-mêmes, mais à présent, je vous en prie, un conteur, car des quelques lignes qui restent à écrire, une force doit jaillir qui dépasse toutes les contradictions. Que ce soit dit, ou non, on doit pouvoir jurer qu'entre le son de la voix et le coup de pistolet, il y eut encore en lui, infiniment comprimés, la volonté et le pouvoir d'être tout. Sinon on ne comprendrait pas l'éclat magnifique de cette conséquence : qu'ils aient transpercé son vêtement de nuit et l'aient piqué de toutes parts, comme pour atteindre le noyau dur d'une personne. Et que dans la mort encore il ait porté, trois jours durant, le masque auquel il avait déjà presque renoncé.

Lorsque j'y songe à présent, il me semble singulier que dans ce même livre fût contée la fin de celui qui toute sa vie durant fut un, le même, dur et inchangeable comme un granit, et qui toujours plus lourdement pesa à ceux qui le supportaient. Il y a un portrait de lui à Dijon. Mais on sait sans cela qu'il fut trapu, râblé, têtu et désespéré. Aux seules mains on n'eût peut-être pas pensé. Ce sont des mains par trop chaudes qui voudraient toujours se rafraîchir et qui se posent involontairement sur des objets

froids, les phalanges écartées, avec de l'air entre tous les
doigts. Dans ces mains, le sang pouvait se précipiter
comme il vous monte à la tête. Et quand elles faisaient le
poing elles étaient vraiment comme des têtes de fous,
délirant d'extravagance.

Il fallait des précautions incroyables pour vivre d'accord avec ce sang. Le duc était enfermé avec lui, et
parfois il en avait peur, lorsqu'en soi il le sentait tourner,
rampant et sombre. A lui-même semblait terriblement
étranger ce sang rapide, demi-portugais, qu'il connaissait
à peine. Souvent il avait peur que son sang ne pût
l'attaquer durant son sommeil et le déchirer. Il faisait
semblant de le dompter, mais il était toujours debout
dans sa peur. Il n'osait jamais aimer une femme pour que
son sang ne devînt pas jaloux, et le cours en était si
emporté que jamais aucun vin ne franchit les lèvres du
duc ; au lieu de boire, il l'apaisait par des confitures de
roses. Pourtant un jour il but, au camp de Lausanne,
lorsque Granson fut perdu ; alors il était malade, et
abandonné, et il but beaucoup de vin pur. Mais alors son
sang dormait. Durant ses dernières années vides de sens,
son sang tombait parfois dans ce lourd sommeil bestial.
Alors on vit combien le duc était au pouvoir de son sang,
car lorsque celui-ci dormait le duc n'était rien. Alors
personne de sa suite n'avait le droit d'approcher ; il ne
comprenait pas ce qu'on disait. Aux envoyés étrangers il
ne pouvait se montrer, vide et morne qu'il était. Alors il
était assis et attendait que son sang s'éveillât. Et le plus
souvent son sang sursautait tout à coup, s'échappait de
son cœur, et hurlait.

Pour l'amour de ce sang il traînait avec lui tant d'objets
dont il ne faisait aucun cas. Les trois grands diamants et
toutes les pierres précieuses ; les dentelles flamandes et
les tapis d'Arras, par monceaux. Sa tente en soie avec les

cordons en fil d'or, et quatre cents tentes pour sa suite. Et des images peintes sur bois, et les douze apôtres en argent massif. Et le prince de Tarente, et le duc de Clève, et Philippe de Bade, et les messieurs de Château-Guyon. Car il voulait persuader à son sang qu'il était empereur et qu'il n'y avait rien au-dessus de lui : afin de s'en faire redouter. Mais son sang ne le croyait pas malgré toutes les preuves que le duc lui fournissait ; c'était un sang méfiant. Peut-être l'entretint-il quelque temps dans le doute. Mais les cors d'Uri trahirent le duc. Depuis lors son sang savait qu'il habitait un homme perdu : et il voulait en sortir.

A présent je le vois ainsi, mais autrefois j'étais surtout saisi en lisant comment ils le cherchèrent, le jour des Rois.

Le jeune prince lorrain, qui était entré la veille, après cette bataille singulièrement précipitée, dans sa pauvre ville de Nancy, avait éveillé très tôt sa suite et demandé à voir le duc. Un messager après l'autre fut envoyé, et lui-même apparaissait de temps à autre à la fenêtre, inquiet et soucieux. Il ne reconnaissait pas toujours qui ils transportaient là, sur leurs chars et leurs civières, il voyait seulement que ce n'était pas le duc. Et parmi les blessés non plus il n'était pas, et des prisonniers que l'on amenait sans cesse, nul ne l'avait vu. Mais les fuyards portaient de tous côtés des nouvelles différentes ; ils étaient troublés et effrayés comme s'ils avaient craint de courir à sa rencontre. La nuit tombait déjà et l'on n'avait rien entendu de lui. La nouvelle qu'il était disparu, avait le temps de faire le tour de cette longue soirée d'hiver. Et où qu'elle parvînt, elle donnait à tous une certitude brusque et exagérée qu'il vivait encore. Jamais peut-être le duc n'avait été comme en cette nuit vivant dans toutes les imaginations. Il n'y avait pas de maison où l'on ne veillât pas, où on ne l'attendît pas, et où l'on ne se représentât pas qu'il allait frapper. Et s'il ne venait pas, c'est parce qu'il était déjà passé.

Il gela cette nuit et ce fut comme si gelait aussi la pensée qu'il était encore ; si grande était sa dureté. Et des années passèrent avant qu'elle se fût défaite. Tous ces hommes, sans bien le savoir, à présent voulaient obstinément qu'il fût. Le destin dont il les avait frappés n'était supportable que par sa présence. Ils avaient eu tant de mal à apprendre qu'il était ; mais à présent qu'ils le savaient par cœur, ils découvraient qu'il était facile à retenir et qu'ils ne l'oublieraient plus.

Mais le lendemain matin, septième jour de janvier, un mardi, on se remit cependant à sa recherche. Et cette fois il y avait un guide. C'était un page du duc, et l'on prétendait qu'il avait vu de loin tomber son maître. A présent il devait désigner l'endroit. Lui-même n'avait rien raconté. Le comte de Campobasso l'avait amené et avait parlé pour lui. A présent il marchait en avant, et les autres se tenaient tous derrière lui. Quiconque le voyait, bizarrement affublé et incertain, avait peine à croire qu'il était vraiment ce Gian-Battista Colonna qui était beau comme une jeune fille et fin des chevilles. Il tremblait de froid ; l'air était rigide du gel nocturne, on entendait comme un grincement de dents sous les pas. D'ailleurs tous avaient froid. Seul le fou du duc, surnommé Louis XI, se donnait du mouvement. Il jouait au chien, courait en avant, revenait et trottait un instant à quatre pattes, à côté du page. Mais dès qu'il apercevait de loin un cadavre, il y courait, s'inclinait, et l'exhortait à faire un effort, et à être celui qu'on cherchait. Il lui laissait un peu de temps de réflexion, puis il revenait vers les autres, de mauvaise humeur, et menaçait et jurait et se plaignait de l'entêtement, de la paresse des morts. Et l'on allait toujours, et cela ne prenait pas fin. La ville n'était

presque plus visible ; car dans l'intervalle le temps s'était
fermé, malgré le froid, et il était devenu gris et opaque.
Le pays était couché, plat et indifférent, et le petit groupe
des hommes semblait toujours plus égaré, à mesure qu'il
s'éloignait davantage. Personne ne parlait. Seule, une
vieille femme qui avait couru derrière eux ruminait
quelque chose en secouant la tête ; peut-être priait-elle.

Soudain le premier de la petite troupe s'arrêta et
regarda autour de lui. Puis il se retourna brièvement vers
Lupi, le médecin portugais du duc et montra quelque
chose devant lui. Quelques pas en avant, il y avait une
étendue de glace, une sorte de marais ou d'étang et il y
avait là, à moitié enfoncés, dix ou douze cadavres. Ils
étaient presque complètement dévêtus et dépouillés. Lupi
allait, penché et attentif de l'un à l'autre. Et à présent l'on
reconnaissait Olivier de Lamarche, et le prêtre, tandis
qu'on allait et venait autour d'eux ; mais la vieille était
déjà agenouillée dans la neige, et gémissait, et se penchait
sur une large main dont les doigts écartés étaient tendus
vers elle. Tous accoururent. Lupi, avec quelques domestiques, essaya de retourner le cadavre, car il était couché
sur la face. Mais le visage était pris dans la glace, et
lorsqu'on l'en retira, l'une des joues se pela, sèche et
mince, et il apparut que l'autre avait été arrachée par des
chiens ou des loups, et le tout avait été fendu par une
grande blessure qui commençait à l'oreille, de sorte que
l'on ne pouvait même plus parler d'un visage. L'un après
l'autre, ils se retournèrent. Chacun croyait trouver derrière soi le Romain. Mais ils ne voyaient que le fou qui
était accouru, mauvais et sanglant. Il tenait un manteau
loin de lui, et le secouait comme s'il devait en tomber
quelque chose ; mais le manteau était vide. On commença
donc à chercher des signes particuliers, et il s'en trouva
quelques-uns. On avait fait un feu et l'on lava le corps

avec de l'eau chaude et du vin. La cicatrice du cou apparut, et les traces des deux grands abcès. Le médecin ne doutait plus. Mais on compara encore autre chose. Louis XI avait trouvé quelques pas plus loin le cadavre du grand cheval noir Moreau que le duc avait monté le jour de Nancy. Il enfourcha le cadavre et laissa pendre ses jambes courtes. Le sang coulait de ses narines à sa bouche, et l'on voyait qu'il le goûtait. L'un des domestiques de l'autre côté rappela qu'un ongle du pied gauche du duc avait été incarné. A présent tous cherchaient cet ongle. Mais le fou gigotait comme si on l'avait chatouillé et criait : « Ah, monseigneur, pardonne-leur de découvrir ainsi tes défauts les plus grossiers, les imbéciles, qui ne veulent pas te reconnaître à mon long visage où apparaissent toutes tes vertus. »

[[1] Le fou du duc était aussi le premier qui entra lorsque le cadavre fut dressé sur le lit. C'était dans la maison d'un certain Georges Marquis, personne n'aurait su dire pourquoi. Le drap mortuaire n'avait pas encore été étendu, et il eut ainsi l'impression du tout. Le blanc du linceul et le cramoisi du manteau contrastaient durement avec les noirs du baldaquin et de la couche. En avant, des bottes à longues tiges écarlates pointaient, avec de grands éperons dorés. Et que cela, là-haut, fût une tête, on ne pouvait plus le contester dès qu'on voyait la couronne. C'était une grande couronne ducale, avec je ne sais quelles pierres. Louis XI allait et venait et examinait tout de près. Il tâta même le satin, bien qu'il n'y entendît pas grand-chose. Ce devait être un satin de bonne qualité, peut-être un peu trop bon marché pour la maison de Bourgogne. Il recula encore une fois pour juger de l'ensemble. Les couleurs étaient singulièrement discontinues, à la lumière reflétée

---

1. Écrit en marge du manuscrit.

par la neige. Il grava chacune séparément dans sa mémoire. « Bien habillé, reconnut-il enfin, peut-être un peu trop prononcé. » La mort lui apparaissait comme un manieur de marionnettes qui a vite besoin d'un duc.]

L'on fait bien de constater simplement certaines choses qui ne peuvent pas changer, sans déplorer les faits, ou même les juger. C'est ainsi qu'il m'est apparu clairement que je ne serais jamais un véritable liseur. Lorsque j'étais enfant, je considérais la lecture comme une profession qu'il faudrait assumer, plus tard, un jour, lorsque viendrait le tour des professions. A dire la vérité, je ne me représentais pas exactement quand cela arriverait. Je pensais que se manifesterait une époque à laquelle la vie se rabattrait en quelque sorte et ne viendrait plus que du dehors, ainsi qu'autrefois du dedans. Je me figurais qu'elle deviendrait alors intelligible, facile à interpréter, et n'admettant plus aucune équivoque. Peut-être, nullement simple, au contraire très exigeante, compliquée et difficile, j'y consens, mais toutefois visible. Cet illimité si singulier de l'enfance, ce non relatif, que jamais l'on n'avait dominé du regard, cela du moins serait alors surmonté. Sans doute ne voyait-on pas du tout comment. Au vrai, cela s'accroissait toujours et se refermait de toutes parts, et plus l'on regardait au-dehors, plus l'on remuait de choses au fond de soi : Dieu sait d'où elles venaient ! Mais peut-être croissaient-elles jusqu'à un degré de force extrême et se brisaient-elles tout à coup. Il était facile à observer que les grandes personnes n'en étaient que fort peu inquiétées ; elles allaient et venaient, jugeaient et agissaient, et lorsqu'elles se heurtaient à des difficultés, celles-ci ne tenaient jamais qu'aux circonstances extérieures.

C'est à l'époque de ces transformations que je situais aussi la lecture. Alors on traiterait les livres comme des amis, on aurait un temps, à eux réservé, un certain temps qui s'écoulerait, régulièrement et docilement, justement aussi long qu'il vous plairait de le leur consacrer. Naturellement, certains livres vous tiendraient de plus près et il n'est pas du tout dit que l'on serait assuré de ne pas perdre de temps en temps une demi-heure qui eût dû être consacrée à une promenade, à un rendez-vous, à un lever de rideau ou à une lettre urgente. Mais que vos cheveux prissent un mauvais pli ou s'emmêlassent comme si l'on s'était appuyé sur eux, ou que vos oreilles devinssent brûlantes et vos mains froides comme du métal, et qu'une longue chandelle achevât de se consumer à côté de vous, jusque dans le chandelier, cela, Dieu merci, serait définitivement exclu.

Je cite ces symptômes parce que j'en fis moi-même l'expérience de façon assez profonde, pendant ces vacances à Ulsgaard, durant lesquelles j'entrai si subitement en lecture. Il apparut alors aussitôt que je ne savais pas lire. Sans doute avais-je commencé avant l'époque que j'assignais à cette occupation. Mais cette année, à Sorö, au milieu de tant d'égaux en âge, m'avait mis en méfiance contre de tels calculs. Là-bas, des expériences subites et inattendues étaient survenues, et il était évident qu'elles m'avaient traité en grande personne. C'étaient des expériences de grandeur naturelle, qui pesaient sur moi de tout leur poids. Mais dans la mesure même où je comprenais leur réalité, mes yeux s'ouvraient aussi sur la réalité infinie de mon enfance. Je savais que l'une ne cesserait pas plus que l'autre ne commençait seulement. Je me disais que chacun, bien entendu, était libre de faire des séparations ; mais elles étaient inventées. Et il apparut que j'étais trop maladroit pour en imaginer à mon usage. Chaque fois que je m'y essayais, la vie me faisait comprendre qu'elle ne les reconnaissait pas. Et si je persistais à considérer que mon enfance était passée, à cet instant tout l'avenir aussi était évanoui et il ne me restait exactement que ce qu'un soldat de plomb a sous les pieds pour pouvoir se tenir debout.

Cette découverte m'éloigna bien entendu encore davantage des autres. Elle m'absorbait en moi-même et m'emplissait d'une sorte d'allégresse définitive que je prenais pour de la tristesse, parce qu'elle dépassait de beaucoup mon âge. Autant que je me souvienne, j'étais inquiet aussi parce que, à présent que plus rien n'était prévu pour une époque déterminée, beaucoup de choses pourraient être complètement négligées. Et lorsque je revins dans cet état d'esprit à Ulsgaard et que je vis tous les livres, je me jetai sur eux, à la hâte, avec une conscience presque mauvaise.

Ce que j'ai souvent éprouvé plus tard, je le pressentis alors en quelque sorte, savoir : que l'on n'a pas le droit d'ouvrir un livre si l'on ne s'engage pas à les lire tous. A chaque ligne on entamait le monde. Avant les livres il était intact, et peut-être le retrouvait-on tout entier après. Mais comment allais-je, moi qui ne savais pas lire, les absorber tous ? Ils étaient là, même dans cette modeste bibliothèque, en nombre si grand, et ils tenaient ensemble. Têtu et désespéré je me jetais de livre en livre et me frayais un chemin à travers les pages, comme quelqu'un qui doit fournir un travail disproportionné à ses forces. Je lus alors Schiller et Baggesen, Ohlenschläger et Schack-Staffeldt, tout ce qu'il y avait de Walter Scott et Calderon. Beaucoup de choses tombaient entre mes mains qui auraient dû en quelque sorte avoir été déjà lues ; pour d'autres, au contraire, il était beaucoup trop tôt. Mais presque rien n'était échu pour mon présent d'alors. Et malgré cela je lisais.

Des années après, il m'arrivait parfois la nuit de m'éveiller, et les étoiles étaient si véritables, et s'avançaient de façon si convaincante, et je ne comprenais pas que l'on pût se contraindre à perdre une telle somme de monde. C'est là, je crois, ce que j'éprouvais lorsque je levais les yeux et regardais dehors, où était l'été, où Abelone m'appelait. Il nous semblait très surprenant qu'elle dût m'appeler et que je ne répondisse même pas. Cela tombait dans notre temps le plus heureux. Mais comme cette fièvre s'était emparée de moi, je m'accrochais convulsivement à ma lecture et me dérobais, important et têtu, à nos jours de fête quotidiens. Maladroit que j'étais à profiter des occasions nombreuses mais peu apparentes d'un bonheur naturel, je me plaisais à me faire promettre de notre différend qui s'aggravait, des réconciliations futures, d'autant plus délicieuses qu'on les aurait retardées davantage.

Du reste, mon sommeil de lecture se termina un jour aussi brusquement qu'il avait commencé ; et alors nous nous fâchâmes pour tout de bon. Car Abelone ne m'épargna aucune taquinerie dédaigneuse et, lorsque je la rencontrais sous la tonnelle, elle prétendait lire. Un certain dimanche matin, le livre était sans doute fermé à côté d'elle, mais elle semblait plus qu'assez occupée par les groseilles dont elle détachait avec une fourchette les petits grains. Ce doit avoir été une de ces heures matinales, neuves et reposées comme il y en a en juillet, et durant lesquelles il n'arrive que des événements joyeux et irréfléchis. Des millions de petits mouvements irrépressibles composent une mosaïque de vie, la plus convaincue qui soit ; les choses vibrent les unes dans les autres, et, au-delà, dans l'atmosphère, leur fraîcheur rend les ombres claires, prête au soleil une clarté légère et spirituelle. Il n'y a plus alors au jardin rien d'essentiel ; tout est partout, et il faudrait être dans tout à la fois pour ne rien perdre.

Dans le petit geste d'Abelone, le tout était encore une fois inclus. C'était un tel bonheur d'invention qu'elle fît justement ceci, et exactement ainsi qu'elle le faisait. Ses mains claires, dans l'obscurité de l'ombre, travaillaient avec une intelligence si légère l'une vers l'autre, et devant la fourchette sautaient, comme à plaisir, les baies rondes dans la coupe garnie de feuilles de vigne humides de rosée, où d'autres baies déjà s'amoncelaient, rouges et blondes, illuminées de leurs points de lumière, avec des grains sains dans la pulpe acide. Aussi ne désirais-je que de regarder, mais comme il était vraisemblable que l'on m'en empêcherait, pour me donner une contenance, je pris le livre, m'assis de l'autre côté de la table, et, sans longtemps le feuilleter, je m'y plongeai n'importe où.

« Si au moins tu lisais à haute voix, bouquineur », dit Abelone au bout d'un instant. Le son de ces mots n'était plus du tout hostile, et comme il était, me semblait-il, grand temps de nous réconcilier, je lus aussitôt, à haute voix, sans arrêt, jusqu'au prochain alinéa, et plus loin encore, jusqu'au prochain titre : *A Bettine*.

« Non, pas les réponses ! » m'interrompit Abelone, et comme épuisée, elle déposa tout à coup la petite fourchette. Aussitôt après, elle rit de la mine avec laquelle je la regardai.

« Mon Dieu, que tu as mal lu, Malte ! »

Je dus convenir que je n'avais pas pensé un seul instant à ce que je faisais. « Je ne lisais que pour être interrompu », avouai-je, et j'eus tout à coup chaud et feuilletai le livre en arrière, pour trouver la page du titre. Alors seulement je sus quel livre c'était. « Pourquoi pas les réponses ? » demandai-je, curieux.

Ce fut comme si Abelone ne m'avait pas entendu. Elle était assise, là, dans sa robe claire, comme si partout, à l'intérieur, elle était devenue toute sombre, tels qu'étaient à présent ses yeux.

« Donne », dit-elle soudain, comme en colère, et prit le livre dans sa main, et l'ouvrit à la page qu'elle voulait. Et alors elle lut une des lettres de Bettine.

Je ne sais pas ce que j'en compris, mais c'était comme si l'on m'avait promis solennellement qu'un jour je saisirais tout cela. Et pendant que sa voix s'élevait et ressemblait enfin presque à celle que je connaissais par son chant, j'eus honte tout à coup de m'être représenté notre réconciliation d'une manière si banale. Car je compris bien qu'elle était en train de s'accomplir. Mais à présent elle avait lieu, en grand, quelque part, loin, au-dessus de moi, où je n'atteignais même pas.

Cette promesse se remplit encore toujours : par hasard le même livre se retrouve de nouveau parmi les miens, parmi les quelques livres dont je ne me sépare pas. A présent, pour moi aussi, il s'ouvre aux passages auxquels je pense justement, et pendant que je les lis, il est incertain si je songe à Bettine ou à Abelone.

Non, Bettine est devenue plus vivante en moi, Abelone que j'ai connue n'a fait que préparer l'autre, et voici qu'elle a fleuri en Bettine comme en son être le plus propre et le plus inconscient. Car cette étrange Bettine a, par toutes ses lettres, créé de l'espace, et comme un monde de dimensions élargies. Elle s'est depuis le commencement répandue en tout comme si elle avait déjà dépassé sa mort. Partout elle s'était installée profondément dans l'être, elle en faisait partie, et tout ce qui lui arrivait, était de toute éternité contenu dans la nature ; là elle se reconnaissait, elle s'en détachait presque douloureusement ; elle se devinait peu à peu, comme remontant à des traditions, elle s'évoquait comme un esprit et s'affrontait.

Voici un instant, Bettine, tu étais encore ; je te comprends. La terre n'est-elle pas chaude de toi, et les oiseaux ne laissent-ils pas de l'espace pour ta voix ? La rosée est autre, mais les étoiles sont encore les étoiles de tes nuits. Où le monde entier n'est-il pas tien ? Car combien de fois l'as-tu incendié de ton amour, et l'as-tu vu flamboyer et se consumer, et l'as-tu, en secret, remplacé par un autre monde, tandis que tous dormaient. Tu te sentais bien d'accord avec Dieu, lorsque, chaque matin, tu lui demandais une nouvelle terre, afin qu'eussent leur tour tous ceux qu'il avait créés. Il te semblait peu digne de les épargner, et de les réparer, et tu avançais tes mains vers un monde toujours nouveau. Car ton amour égalait tout.

Comment est-il possible que tous ne parlent encore de ton amour ? Qu'est-il depuis arrivé de plus mémorable ? Qu'est-ce donc qui les occupe ? Toi-même, tu connaissais la valeur de ton amour, tu le disais à haute voix à ton plus grand poète, afin qu'il fût rendu humain ; car il était encore élément. Mais le poète, en t'écrivant, en a dissuadé les hommes. Tous ont lu ses réponses et les croient plutôt, parce que le poète leur est plus intelligible que la nature. Mais peut-être comprendront-ils un jour qu'ici était la limite de sa grandeur. Cette aimante lui était imposée, et il ne l'a pas supportée. Qu'est-ce à dire qu'il n'ait pu lui répondre ? Un tel amour n'a pas besoin de réponse, il contient l'appeal et la réponse ; il s'exauce lui-même. Mais le poète aurait dû s'humilier devant elle, dans toute sa magnificence, et ce qu'elle dictait, l'écrire à deux mains, comme Jean de Pathmos, à genoux. Il n'y avait pas de choix possible en présence de cette voix, qui « remplissait la fonction des anges », qui était venue pour l'envelopper et l'entraîner vers l'éternel. C'était là le char de sa montée embrasée vers le ciel. C'était là qu'était préparé à sa mort le mythe obscur qu'il laissa vide.

Le destin aime à inventer des dessins et des figures. Sa difficulté tient à sa complexité. Mais la vie elle-même est difficile par sa simplicité. Elle n'a que quelques éléments d'une grandeur qui nous surpasse. Le saint, en déclinant le destin, choisit ceux-ci pour l'amour de Dieu. Mais que la femme, conformément à sa nature, doive faire le même choix par rapport à l'homme, c'est là ce qui évoque la fatalité de toutes les amours : résolue et sans destin, comme une éternelle, elle est debout à côté de lui qui se transforme. Toujours l'aimante surpasse l'aimé, parce que la vie est plus grande que le destin. Son don d'elle-même peut être infini ; c'est là son bonheur. Mais la misère sans nom de son amour a toujours été celle-ci : qu'on lui ait demandé de limiter ce don.

Aucune autre plainte n'a jamais été exprimée par des femmes. Les deux premières lettres d'Héloïse ne contiennent que celle-là, et cinq siècles plus tard elle s'élève encore des lettres de la Portugaise ; on la reconnaît comme un appel d'oiseau. Et soudain le clair espace de cette reconnaissance est traversé par la forme la plus lointaine de Sappho, que les siècles ne trouvèrent pas, parce qu'ils l'ont cherchée dans le destin.

Je n'ai jamais osé lui acheter un journal. Je ne suis pas
sûr qu'il porte toujours quelques numéros sur lui, lorsque, à l'extérieur du jardin du Luxembourg, il se glisse
lentement, en avant et en arrière, tout le soir durant. Il
tourne le dos à la grille et sa main frôle le socle de pierre
sur lequel se dressent les barreaux. Il se fait si mince que
tous les jours beaucoup de gens passent, qui ne l'ont
jamais vu. Sans doute a-t-il encore un reste de voix qui
rappelle son existence ; mais ce n'est pas autre chose
qu'un bruit dans une lampe, ou dans le poêle, ou
l'égouttement d'une grotte, à intervalles réguliers. Et le
monde est ainsi fait qu'il y a des hommes qui, toute leur
vie, passent justement pendant la pause durant laquelle,
plus silencieux que tout ce qui se meut, il s'avance comme
l'aiguille d'une montre, comme l'ombre d'une aiguille,
comme le temps.

Combien j'avais tort de ne le regarder qu'à contre-
cœur ! J'ai honte d'écrire que souvent, en m'approchant
de lui, je prenais le pas des autres, comme si j'ignorais
qu'il fût là. Alors j'entendais dire en lui : « La Presse »,
et aussitôt après encore une fois, et une troisième fois, à
intervalles rapides. Et, à côté de moi les gens se retour-
naient et cherchaient la voix. Moi seul je me hâtais, plus
que tous les autres, comme si rien ne m'avait frappé,
comme si j'étais extrêmement absorbé.

Et je l'étais en effet. J'étais occupé à me le représenter,
j'entreprenais de l'imaginer, et cet effort me couvrait de
sueur. Car je devais le créer comme on crée un mort, à
l'appui duquel il n'y a plus de preuves, et dont il n'est plus
possible de trouver les composantes ; un mort qu'il faut
accomplir complètement au-dedans de soi. Je sais à
présent que je trouvais un peu de secours à penser aux

nombreux christs en ivoire strié qui traînent chez tous les antiquaires. La pensée de je ne sais quelle *pietà* surgit et s'évanouit, — tout cela sans doute seulement pour évoquer une certaine inclinaison de son long visage, et la désolation d'une barbe qui repoussait peu à peu, à l'ombre des joues, et cette cécité définitivement douloureuse de son expression fermée, qui était dirigée de biais vers en haut. Mais il y avait en outre tant de choses qui lui appartenaient ; car je compris dès alors que rien de lui n'était accessoire : ni la manière dont la veste et le manteau, bâillant en arrière, laissaient partout voir le col — ce col bas, qui se dressait en un grand arc autour de la nuque tendue et creusée — sans le toucher ; ni la cravate d'un noir verdâtre, lâchement nouée autour ; ni surtout le chapeau de feutre, à fond raide, qu'il portait comme tous les aveugles portent leurs chapeaux, sans rapport avec les traits du visage, sans la possibilité de former, avec cet objet supplémentaire et soi-même, une nouvelle unité extérieure ; et ce n'est rien de plus qu'un quelconque objet étranger.

Dans mon obstination lâche à ne pas le regarder, je finis par en arriver à ce point, que l'image de cet homme se condensa en moi, sans raison, avec une force douloureuse, en une misère si dure que, harcelé par elle, je décidai d'intimider et de supprimer la précision croissante de ma représentation, par la réalité extérieure. C'était le soir. Je décidai de passer aussitôt près de lui en le regardant attentivement.

Il faut à présent que vous sachiez : on approchait du printemps. Le vent du jour était tombé ; les rues étaient longues et satisfaites ; à leurs issues les maisons luisaient, nouvelles, comme des brisures récentes d'un métal blanc. Mais c'était un métal qui vous surprenait par sa légèreté. Dans les rues larges, au courant ininterrompu, beaucoup de gens passaient les uns entre les autres, presque sans crainte des voitures qui étaient rares. Ce devait être un dimanche. Les terrasses des tours de Saint-Sulpice se montraient, gaies et d'une hauteur inattendue, dans l'air calme, et par les rues étroites, presque romaines, on regardait involontairement dans la saison. Au jardin, et devant *lui*, il y avait tant de mouvements d'hommes, que je ne le vis pas aussitôt. Ou ne le reconnus-je pas tout de suite à travers la foule?

Je sus dès l'abord que la représentation que j'avais de lui était sans valeur. La résignation de sa misère qui n'était limitée par aucune précaution ni aucune feinte, dépassait mes moyens. Je n'avais compris ni l'angle d'inclinaison de son attitude, ni l'effroi dont l'intérieur de ses paupières semblait l'emplir complètement. Je n'avais jamais pensé à sa bouche qui était rétrécie comme l'ouverture d'un conduit de gouttière. Peut-être avait-il des souvenirs; mais à présent, plus rien ne s'ajoutait à son âme que, tous les jours, la sensation amorphe du rebord de pierre derrière lui, auquel sa main s'usait peu à peu. J'étais resté debout, et tandis que je voyais tout cela, presque simultanément, je sentais qu'il avait un autre chapeau et une cravate qui était sans doute une cravate de dimanche. C'était un biais en damier jaune et violet et, quant au chapeau, c'était un chapeau de paille bon marché, avec un ruban vert. Les couleurs, bien entendu, importent peu, et il est même mesquin de ma part de m'en souvenir. Je veux dire seulement qu'elles étaient sur lui comme le duvet le plus tendre au ventre d'un oiseau. Lui-même n'y prenait point plaisir, et qui donc de tous ces gens — je me retournai — aurait pu supposer qu'il se fût paré pour eux?

Mon Dieu, me rappelai-je avec une subite véhémence, c'est donc ainsi que tu es? Il y a des preuves de ton existence. Je les ai toutes oubliées, et je n'en ai jamais demandé aucune, car quelle formidable obligation serait contenue dans cette certitude! Et cependant on me la démontre à présent. Voilà donc ton goût, voilà ton bon plaisir! Puissions-nous apprendre à supporter tout, et à ne point juger. Quelles sont les choses que tu condamnes, quelles, celles que tu agrées? Toi seul le sais.

Lorsque l'hiver sera de nouveau, et que j'aurai besoin d'un manteau neuf, accorde-moi de le porter ainsi, durant qu'il sera neuf.

Ce n'est pas que je veuille me distinguer d'eux lorsque je me promène dans des vêtements meilleurs, et qui m'ont appartenu depuis le commencement, et lorsque je tiens à habiter quelque part. Non, simplement, je n'en suis pas arrivé là. Je n'ai pas le cœur de vivre leur vie. Si mon bras dépérissait, je crois que je le cacherais. Mais elle (je ne sais, autrement, qui elle était), elle apparaissait, tous les jours, devant les terrasses des cafés, et bien que ce fût très difficile pour elle de retirer son manteau et de se dégager de ses vêtements et de ses sous-vêtements confus, elle n'épargnait pas cette peine et elle se débarrassait et se dévêtait si longuement que l'on pouvait à peine encore prendre patience. Et alors elle était debout, devant vous, modeste, avec son moignon sec et résorbé, et l'on pouvait voir qu'il était rare.

Non, ce n'est pas que je veuille me distinguer d'eux, mais je m'estimerais trop si je voulais être semblable à eux. Je ne le suis pas, je n'aurais ni leur force ni leurs proportions. Je me nourris et, de repas en repas, j'existe donc sans qu'aucun miracle intervienne, tandis qu'eux subsistent presque comme des éternels. Ils sont debout

dans leurs angles comme tous les jours, même en
novembre, et l'hiver ne les fait pas crier. Le brouillard
vient et les fait confus et incertains : ils sont malgré cela.
J'étais parti en voyage, j'étais tombé malade, beaucoup
de choses s'étaient déroulées en moi : mais eux ne sont
pas morts.

[[1] Je ne sais même pas comment il est possible que les
collégiens se lèvent dans les chambres grises à l'odeur de
froid. Qui les encourage, ces petits squelettes pressés,
pour qu'ils se précipitent, dehors, dans la ville adulte,
dans cette fin trouble de la nuit, dans ce jour de classe
éternel, toujours petits, toujours remplis de pressentiments, toujours en retard. Je n'ai aucune idée de la
somme de secours qui se dépense continuellement.]

Cette ville est pleine d'hommes qui glissent lentement
parmi eux. La plupart commencent par résister ; mais
ensuite il y a aussi ces filles presque vieilles, décolorées et
qui ne cessent de s'abandonner sans lutter, qui, au plus
profond d'elles, n'ont jamais servi, qui n'ont jamais été
aimées. Peut-être penses-tu, mon Dieu, que je dois
renoncer à tout et les aimer. Ou, sinon, pourquoi m'en
coûte-t-il tant de ne pas les suivre lorsqu'elles me
dépassent ? Pourquoi inventé-je tout à coup les mots les
plus doux, les plus nocturnes, et pourquoi ma voix
demeure-t-elle tendrement entre ma gorge et mon cœur ?
Et pourquoi me représenté-je comment, avec d'infinies
précautions, je les tiendrais dans mon haleine, ces pou-
pées avec lesquelles la vie a joué en ouvrant leurs bras de
printemps en printemps, pour rien, jusqu'à ce que les
joints des épaules se soient relâchés. Elles ne sont jamais
tombées d'une espérance très haute, elles ne se sont donc
pas brisées, mais elles sont abîmées et la vie déjà n'en

---

1. Écrit en marge du manuscrit.

veut plus. Seuls les chats perdus viennent le soir chez elles dans leurs chambres, et les griffent en secret, et se couchent sur elles. Quelquefois je suis l'une d'entre elles à travers deux rues. Elles longent les maisons, des hommes viennent toujours qui les recouvrent, elles disparaissent derrière eux, annulées.

Et cependant je sais que si un seul essayait de les aimer, elles seraient lourdes contre lui comme quelqu'un qui s'est trop éloigné et qui cesse de marcher. Je crois que Jésus seul les supporterait, qui a encore la résurrection dans tous ses membres ; mais elles lui importent peu. Seuls ceux qui aiment le séduisent, et non pas celles qui attendent avec de petites dispositions à être aimées, comme avec une lampe froide.

Je sais que si j'étais destiné au pire il ne me servirait à rien de me travestir sous mes meilleurs vêtements. Ne glissa-t-il pas du milieu de sa royauté parmi les derniers ? Lui. qui, au lieu de s'élever, tomba jusqu'à ce qu'il touchât le fond. C'est vrai, j'ai cru parfois aux autres rois, bien que les parcs ne prouvent plus rien. Mais il fait nuit, c'est l'hiver, je gèle, je crois en lui. Car la puissance ne dure qu'un instant, et nous n'avons rien vu de plus long que la misère. Mais le roi doit durer.

Celui-ci n'est-il pas le seul qui se conserva sous sa folie comme des fleurs en cire sous une vitrine ? Pour les autres, ils imploraient dans les églises une longue vie, mais de lui le chancelier Jean Charlier Gerson exigeait qu'il fût éternel et cela alors qu'il était déjà le plus pauvre de tous, malgré sa couronne.

C'était au temps que des hommes étrangers, au visage noirci, l'attaquaient parfois dans son lit, pour lui arracher la chemise pourrie dans les ulcères, que depuis longtemps déjà il prenait pour lui-même Il faisait sombre dans la chambre, et ils déchiraient sous ses bras raides les lambeaux friables tels qu'ils les empoignaient. Puis, l'un d'eux éclairait, et alors seulement ils découvraient la blessure purulente sur sa poitrine, dans laquelle l'amulette de fer s'était enfoncée, parce que chaque nuit il la pressait contre lui avec toute la force de sa ferveur A présent elle était en lui, profondément, terriblement précieuse, dans une lisière de perles en pus, comme un débri miraculeux, au creux d'un reliquaire. On avait choisi des aides au cœur dur, mais ils n'étaient pas cuirassés contre le dégoût, lorsque les vers, dérangés, se dressaient, hors de la futaine flamande et que, tombés des plis, ils remontaient quelque part le long des manches Il n'était pas douteux que son état eût empiré depuis le jour de la *parva regina* ; car, elle du moins, avait encore voulu coucher auprès de lui, jeune et claire comme elle était : puis elle était morte. Et depuis, plus personne n'avait osé accoupler une compagne de lit avec cette charogne. La reine n'avait pas laissé derrière elle les mots et les tendresses par lesquels elle savait adoucir le roi Aussi, plus personne ne pénétra-t-il à travers la broussaille de son esprit ; personne ne l'aidait à s'échapper des ravines de son âme ; personne ne le comprenait lorsque, soudain, il en sortait lui-même, avec le regard rond d'une bête qui va au pâturage. Et lorsqu'il reconnaissait alors le visage préoccupé de Juvénal, il se rappelait le royaume, tel qu'il l'avait laissé. Et il voulait rattraper ce qui avait été négligé.

Mais les événements de ces conjonctures avaient ceci de particulier qu'on ne pouvait les apprendre avec des ménagements. Où quelque chose arrivait, l'événement se produisait avec tout son poids, et lorsqu'on le disait, il était comme d'un seul morceau. Aurait-on pu atténuer en quelque manière le fait que son frère avait été assassiné ? et ceci que hier Valentina Visconti qu'il nommait sa chère sœur s'était agenouillée devant lui, ne soulevant que les voiles noirs de son veuvage, de son visage défiguré par la plainte et par l'accusation ? Et aujourd'hui, durant des heures, un avocat tenace et bavard était là, et prouvait le bon droit de l'assassin princier, jusqu'à ce que le crime devînt transparent comme s'il allait s'élever, lumineux jusqu'au ciel. Et être juste c'était donner raison à tous, car Valentine d'Orléans mourut de chagrin, quoiqu'on lui promît vengeance. Et à quoi servait de pardonner toujours et encore au duc de Bourgogne ; l'ardeur sombre du désespoir s'était emparée de lui, de sorte que, depuis des semaines, il habitait une tente au fond de la forêt d'Argilly et prétendait avoir besoin la nuit d'entendre bramer les cerfs pour son soulagement.

Lorsqu'on avait pensé à tout cela, sans cesse, du commencement jusqu'à la fin, — et ce n'était pas long, — le peuple demandait à vous voir, et il vous voyait : perplexe. Mais le peuple se réjouissait du spectacle ; il comprenait que c'était là le roi : ce silencieux, ce patient qui était là pour permettre que Dieu agît par-dessus lui, dans son impatience tardive. Dans ses moments plus clairs sur le balcon de son hôtel de Saint-Pol, le roi pressentait peut-être ses progrès secrets ; il se souvenait de ce jour de Roosbecke, où son oncle de Berry l'avait pris par la main, pour le conduire devant sa première victoire achevée ; alors il avait dominé du regard, par cette journée singulièrement prolongée de novembre, les masses des Gantois, telles qu'elles s'étaient étranglées par leur propre densité, lorsqu'on avait chevauché sur eux de tous les côtés. Enroulés les uns dans les autres, comme un immense cerveau, ils étaient couchés là, par monceaux, tels qu'ils s'étaient eux-mêmes noués ensemble, pour se tenir de près. On perdait l'haleine lorsqu'on voyait, çà et là, leurs visages étouffés ; on ne pouvait manquer de se représenter que l'air avait été repoussé loin de ces cadavres, que l'encombrement avait fait rester debout, par la fuite soudaine de tant d'âmes désespérées.

Cela, on l'avait gravé dans la mémoire du roi comme le commencement de sa gloire. Et il s'en était souvenu. Mais, si ç'avait été alors le triomphe de la mort, c'était à présent, tandis que sur ses jambes fléchissantes il était debout à la vue de tous, le mystère de l'amour. Il avait vu dans les yeux des autres que l'on pouvait comprendre ce champ de bataille, quelque immense qu'il fût. Mais ceci ne voulait pas être compris ; c'était aussi merveilleux que jadis le cerf au collier d'or dans la forêt de Senlis. Sauf qu'à présent c'était lui l'apparition, et que les autres étaient plongés dans la contemplation. Et il ne doutait pas qu'ils fussent hors d'haleine, et emplis de la même vaste attente qui l'avait surpris, ce jour de son adolescence, à la chasse, lorsque l'apparition silencieuse surgit d'entre les branches en le regardant. Le mystère de sa visibilité se répandait sur toute sa forme adoucie. Il ne bougeait pas, de peur de se fondre ; le mince sourire sur son large visage simple prenait une durée naturelle comme chez les saints en pierre, et ne se forçait pas. C'est ainsi qu'il se tendait. Et ce fut un de ces instants qui sont l'éternité, vue en abrégé. La foule le supporta à peine. Fortifiée, nourrie d'un réconfort infiniment multiplié, elle rompit le silence par le cri éclatant de sa joie. Mais en haut, sur le balcon, il n'y avait plus que Juvénal des Ursins, et il cria sur la première vague de calme que le roi viendrait rue Saint-Denis chez les frères de la Passion, pour y voir les mystères.

En de tels jours le roi était plein d'une conscience

adoucie. Si un peintre de ce temps avait cherché quelque indice sur la vie au paradis, il n'aurait pas pu trouver de modèle plus parfait que la forme apaisée du roi, telle qu'elle apparaissait dans une des hautes fenêtres du Louvre, dans l'abandon des épaules. Il feuilletait un petit livre de Christine de Pisan qui s'intitule *le Chemin de long estude*, et qui lui était dédié. Il ne lisait pas les doctes polémiques de ce parlement allégorique qui s'était proposé de trouver le prince digne de régner sur le monde entier. Le livre s'ouvrait toujours devant lui aux passages les plus simples : là où il était question de ce cœur qui, treize années durant, comme une cornue sur le feu de la douleur, n'avait servi qu'à distiller pour les yeux l'eau de l'amertume. Il comprenait que la vraie consolation ne commençait que lorsque le bonheur était passé et révolu pour toujours. Rien n'était plus près de lui que cette consolation. Et tandis que son regard semblait embrasser le pont, là dehors, il aimait à regarder le monde à travers le cœur de Christine, par trop entraîné sur les chemins extraordinaires, dans l'extase de la grande Cuméenne, — le monde d'alors : ces mers aventureuses, ces villes aux tours étrangères, contenues par la pression des étendues ; la solitude extatique des montagnes rassemblées, et les cieux explorés dans un doute heureux, ces cieux qui se fermaient alors seulement comme le crâne d'un nourrisson.

Mais lorsque quelqu'un entrait, le roi prenait peur et son esprit se ternissait peu à peu. Il permettait qu'on l'emmenât de la fenêtre et qu'on l'occupât. Ils lui avaient donné l'habitude de demeurer durant des heures avec des images, et il en était content. Une seule chose le fâchait, c'est qu'en tournant les pages on ne pût jamais garder devant soi plusieurs images à la fois, et que, fixées qu'elles étaient dans des in-folio, on ne pût pas les mêler.

Alors quelqu'un s'était souvenu d'un jeu de cartes qui était tombé en oubli, et le roi accorda sa faveur à celui qui le lui apporta. Tant lui tenaient à cœur ces cartons qui étaient bariolés, et chacun, mobile et plein d'imageries. Et tandis que les jeux de cartes devenaient à la mode parmi les courtisans, le roi était assis dans sa bibliothèque et jouait seul. De même qu'il levait en ce moment deux rois, l'un à côté de l'autre, de même Dieu l'avait posé récemment à côté du roi Venceslas ; quelquefois une reine mourait, alors il mettait sur elle un as de cœur, c'était comme une pierre funéraire. Il ne s'étonnait pas qu'il y eût dans ce jeu plusieurs papes ; il installait Rome là-bas, au bord de la table, et ici, à sa droite, était Avignon. Rome lui était indifférente ; pour une raison quelconque il se la représentait ronde et n'y insistait pas davantage. Mais il connaissait Avignon. Et à peine y songeait-il, que sa mémoire répétait le haut palais hermétique et qu'elle se surmenait. Il fermait les yeux et devait largement reprendre haleine. Il avait peur de faire de mauvais rêves la nuit prochaine.

En somme, c'était vraiment une distraction reposante, et ils avaient eu raison de la lui suggérer. De telles heures le confirmaient dans son opinion qu'il était roi, le roi Charles VI. Ceci ne veut pas dire qu'il s'exagérait son importance ; il était loin de se croire plus qu'une de ces feuilles de papier, mais sa certitude se fortifiait que lui aussi était une carte déterminée, peut-être une mauvaise carte, une carte jetée avec colère et qui perdait toujours : mais toujours la même, jamais une autre. Et cependant, lorsqu'une semaine s'était passée, ainsi, à cette confirmation régulière de sa propre existence, il commençait à se sentir à l'étroit en lui. La peau se tendait autour du front et de la nuque comme s'il sentait tout à coup ses contours trop distincts. Personne ne savait à quelle tentation il cédait lorsqu'il s'informait des mystères et ne pouvait attendre qu'ils commençassent. Et lorsque enfin ils étaient arrivés, il habitait davantage la rue Saint-Denis que son hôtel de Saint-Pol.

C'était le pouvoir fatal de ces poèmes représentés qu'ils se complétaient et s'élargissaient sans cesse, qu'ils s'accroissaient jusqu'à compter des dizaines de milliers de vers, de telle sorte que le temps en eux était le temps véritable ; c'était comme si l'on avait fait un globe, en grandeur naturelle, de la terre. L'estrade creuse, au-dessous de laquelle était l'enfer, et au-dessus de laquelle l'échafaudage sans barrière d'un balcon fixé à un pilier signifiait le niveau du paradis, contribuait encore à atténuer l'artifice. Car ce siècle avait en vérité rendu terrestres le ciel et l'enfer. Il se nourrissait de ces deux forces pour se survivre à lui-même.

C'étaient les jours de cette chrétienté avignonnaise qui, une génération plus tôt, s'était pressée autour de Jean XXII en un recours si involontaire, qu'au lieu de son pontificat, avait surgi aussitôt après lui la masse de ce palais clos et lourd comme un dernier corps de refuge pour l'âme de tous. Mais lui-même, le petit vieillard, léger et immatériel, vivait encore à la vue de tous. Tandis que, à peine arrivé, sans retard, il commençait à agir vite et hardiment, les écuelles épicées de poison étaient sur sa table. Le contenu du premier gobelet devait toujours être répandu car le morceau de licorne était décoloré lorsque l'échanson l'en retirait. Inquiet, ne sachant où il devait les dissimuler, le septuagénaire portait avec lui les figurines de cire que l'on avait faites de lui, pour le perdre en elles. Et il s'égratignait aux longues aiguilles dont elles étaient transpercées. On pouvait les fondre. Mais ces simulacres secrets l'avaient empli d'un tel effroi que, plusieurs fois, malgré sa force de volonté, il forma cette pensée qu'il pourrait se porter à lui-même un coup mortel et s'évanouir comme la cire près du feu. Son corps diminué devenait encore plus sec de terreur et plus résistant. Mais à présent on s'en prenait même au corps de son empire ; à Grenade, les juifs avaient été incités à détruire tous les chrétiens, et cette fois ils s'étaient acheté des exécuteurs plus terribles. Personne ne douta, aussitôt après les premières rumeurs du complot des lépreux ; déjà certains les avaient vus jetant dans les puits les paquets des lambeaux horribles de leur décomposition. Ce ne fut pas par une crédulité trop facile qu'aussitôt l'on tint cela pour possible ; la foi au contraire était devenue si lourde qu'elle échappa aux mains tremblantes et tomba jusqu'au fond des puits. Et de nouveau l'ardent vieillard dut éloigner le poison du sang. Au temps de ses velléités superstitieuses, il avait ordonné pour lui et pour son entourage l'angélus contre les démons du crépuscule ; et à présent, dans le monde agité tout entier, on sonnait chaque soir cette prière calmante. Par ailleurs cependant toutes les bulles et les lettres qui émanaient de lui, ressemblaient davantage à un vin épicé qu'à une tisane. L'empire ne s'était pas confié à son traitement, mais il ne se lassait pas de combler les peuples des preuves de leur maladie ; et déjà on venait de l'Orient le plus éloigné consulter ce médecin impérieux.

Mais alors l'incroyable arriva. Le jour de la Toussaint il avait prêché plus longtemps et plus ardemment que de coutume ; pris d'un soudain besoin et comme pour la revoir lui-même, il avait montré sa foi ; hors de ce tabernacle octogénaire il l'avait tirée et lentement soulevée de toutes ses forces, et exposée sur l'autel, et aussitôt ils crièrent à sa face. L'Europe entière cria : cette foi était mauvaise.

Alors le pape disparut. Durant de longs jours aucune

action n'émana de lui, et il resta à genoux dans son oratoire, et explora le mystère de ceux qui agissent et qui font tort à leur âme. Enfin il reparut, épuisé par ce lourd recueillement, et se rétracta. Il rétractait une chose après l'autre. Rétracter devint la passion sénile de son esprit. Il arrivait qu'il fît éveiller la nuit les cardinaux pour leur parler de son repentir. Et peut-être ce qui faisait durer sa vie au-delà de la mesure ordinaire, n'était-ce finalement que l'espoir de s'humilier encore devant Napoléon Orsini qui le haïssait et qui ne voulait pas venir.

Jacques de Cahors s'était rétracté. Et l'on pourrait croire que Dieu lui-même eût voulu prouver son erreur en laissant surgir, si peu de temps après, le fils du comte de Ligny, qui ne semblait attendre sur terre que l'âge de sa majorité pour participer virilement aux voluptés de l'âme que lui réservait le ciel. Il y avait beaucoup de gens qui se rappelaient ce clair enfant au temps de son cardinalat, et comment, à l'aube de son adolescence, il était devenu évêque, et comment, âgé de dix-huit ans à peine, il était mort dans l'extase de sa perfection. On rencontrait des morts vivants : car autour de son tombeau, l'air, sursaturé de vie pure, longtemps encore agit sur les cadavres. Mais n'y avait-il pas je ne sais quoi de désespéré, même dans cette sainteté trop précoce ? N'était-ce pas une injustice pour tous, que le tissu pur de cette âme n'eût été qu'à peine tiré au travers de la vie, comme s'il ne s'agissait que de la rendre lumineuse dans la cuve d'écarlate de l'époque ? N'éprouva-t-on pas comme un contrecoup lorsque ce jeune prince quitta le tremplin de la terre, dans son ascension passionnée vers le ciel ? Pourquoi les lumineux ne restaient-ils pas parmi ceux qui peinent à faire des chandelles ? N'était-ce pas cette obscurité qui avait amené Jean XXII à affirmer qu'avant le jugement dernier il n'y aurait aucune félicité entière, même pas parmi les bienheureux ? Et en effet quel entêtement et quelle rude ténacité ne fallait-il point, pour s'imaginer que, tandis qu'ici tout était un chaos si épais, il pût y avoir quelque part des visages qui étaient déjà dans la lumière de Dieu. reposant sur des anges et comblés par sa vue inépuisable.

Me voici dans cette nuit froide, et j'écris, et je sais tout cela. Je le sais peut-être parce que j'ai rencontré cet homme, autrefois, quand j'étais petit. Il était très grand, je crois même que sa grandeur devait surprendre.

Si invraisemblable que cela paraisse, j'avais réussi vers le soir, je ne sais plus comment, à m'échapper, seul, de la maison. Je courus, je tournai l'angle d'une rue, et au même instant je me heurtai contre lui. Je ne comprends pas comment ce qui arriva alors a pu se dérouler en cinq secondes à peu près. Si serré qu'on le raconte, cela dure beaucoup plus longtemps. Je m'étais fait mal en me heurtant contre lui ; j'étais petit, il me sembla que c'était beaucoup déjà que je ne pleurasse pas ; aussi m'attendais-je involontairement à être consolé. Comme il ne s'y décidait pas, je le crus timide. Je supposai que son esprit ne lui inspirait pas la plaisanterie par laquelle cette affaire devait se dénouer. J'étais assez content déjà de pouvoir l'aider dans cet embarras, mais pour cela il était nécessaire de regarder dans sa figure. J'ai dit qu'il était grand. Cependant il ne s'était pas, comme il eût été pourtant naturel, penché sur moi, de sorte qu'il se trouvait à une hauteur à laquelle je n'étais pas préparé. Il n'y avait toujours devant moi que l'odeur et la dureté singulières de son vêtement que j'avais senti. Soudain vint son visage. Comment était-il ? Je ne le sais pas, je ne veux pas le savoir. C'était le visage d'un ennemi. Et, à côté de ce visage, tout à côté, à la hauteur de ses yeux terribles, il y avait, comme une seconde tête, son poing. Avant que j'eusse eu le temps de baisser la tête, je courais déjà ; je m'esquivai à sa gauche et courus tout droit dans une rue vide et terrible, dans une rue d'une ville étrangère, d'une ville où l'on ne pardonne rien.

Alors je vécus ce que je comprends à présent : ce temps lourd, massif et désespéré. Le temps où le baiser de deux hommes qui se réconcilient, n'était qu'un signal pour les meurtriers qui étaient là. Ils buvaient dans le même gobelet, ils montaient aux yeux de tous le même cheval de selle, on racontait qu'ils couchaient la nuit dans un seul lit : et tous ces contacts rendaient l'aversion de l'un pour l'autre si impatiente que, chaque fois que l'un apercevait les veines battantes de l'autre, un dégoût maladif se cabrait en lui, comme à l'aspect d'un crapaud. Le temps où un frère assaillait l'autre pour son héritage plus important, et le tenait prisonnier. Sans doute le roi intervint-il pour la victime et obtint-il la liberté de celle-ci et que son bien lui fût restitué. Occupé à d'autres destinées plus lointaines l'aîné accordait la paix et exprimait dans ses lettres le remords de son méfait. Mais tous ces événements empêchaient le frère libéré de se reprendre. Le siècle le montre allant en vêtement de pèlerin d'une église à l'autre, inventant des serments toujours plus étranges. Chargé d'amulettes, il chuchote ses craintes aux moines de Saint-Denis, et longtemps est resté inscrit dans leurs registres le cierge de cent livres qu'il trouva bon de consacrer à saint Louis. Il n'arriva pas à réaliser sa propre existence ; jusqu'à sa fin il sentit la jalousie et la colère de son frère, comme une constellation grimaçante au-dessus de son cœur. Et ce comte de Foix, Gaston Phébus, qui excitait l'admiration de tous, n'avait-il pas tué ouvertement son cousin Ernault, le capitaine du roi d'Angleterre à Lourdes ? Et qu'était ce meurtre manifeste auprès de cet affreux hasard, que le comte n'eût pas déposé le petit couteau à ongle aiguisé, lorsque. en un reproche crispé, il effleura de sa main, dont la beauté était fameuse, le cou nu de son fils étendu ? La chambre était sombre, on dut allumer pour voir le sang qui venait de si loin et qui quittait à présent pour toujours une race admirable, en s'échappant doucement de l'étroite blessure de cet enfant épuisé.

Qui pouvait être fort et s'abstenir d'un meurtre ? Qui. en ce temps, ne savait pas que le pire était inévitable ? Un pressentiment singulier envahissait çà et là celui dont le regard avait rencontré dans la journée le regard presque voluptueux de son meurtrier. Il se retirait, il s'enfermait, il écrivait ses dernières volontés, et il ordonnait pour finir la civière en osier, la soutane des Célestins, et que l'on répandît des cendres. Des ménestrels étrangers paraissaient devant son château et il leur faisait des dons royaux pour l'amour de leur voix qui était d'accord avec ses vagues pressentiments. Dans le regard levé des chiens il y avait un doute, et ils devenaient moins sûrs dans les mouvements qu'on leur ordonnait. De la devise qui avait compté durant toute la vie se dégageait peu à peu un nouveau sens, parallèle et ouvert. Bien des longues habitudes vous paraissaient vieillies, mais c'était comme s'il ne s'en formait plus de nouvelles pour les remplacer. Si des projets surgissaient, on les traitait en grand, sans vraiment croire en eux. En revanche certains souvenirs prenaient un caractère singulièrement définitif. Le soir, près du feu, on croyait s'abandonner à eux. Mais la nuit, dehors, que l'on ne connaissait plus, devenait tout à coup singulièrement forte au tympan. L'oreille, habituée à tant de nuits libres et dangereuses, discernait des morceaux

distincts du silence. Et cependant c'était différent cette
fois-ci. Ce n'était pas la nuit entre hier et aujourd'hui :
une nuit. Nuit. Beau sire, Dieu, et puis la résurrection. A
peine en de telles heures le chant consacré à une femme
aimée vous atteignait-il : elles étaient toutes cachées dans
les *aubes* et dans les *saluts d'amour* ; elles étaient devenues inintelligibles sous leurs noms de parade à traînes
interminables. Tout au plus encore dans l'obscurité les
devinait-on au fond du regard qui se lève, plein de
confiance et de féminine douceur, d'un bâtard.

Et ensuite, avant le souper tardif, cette immobilité
pensive au-dessus des mains dans la cuvette d'argent. Nos
propres mains. Était-il possible de créer un rapport entre
ce qu'elles touchaient ? Une suite, une continuité dans
leurs actes de prendre et de laisser. Non. Tous les
hommes essayaient partie et contrepartie. Tous s'annu-
laient mutuellement, et il n'y avait pas d'action.

Il n'y avait pas d'action, hors chez les frères missionnai-
res. Le roi, dès qu'il eut vu leurs gestes et leurs mimiques,
inventa lui-même cette charte pour eux. Il leur disait :
« Mes chers frères » ; jamais personne ne lui avait tenu
autant à cœur. On leur accorda littéralement de marcher
avec leur pleine signification parmi les hommes tempo-
rels ; car le roi désirait qu'ils en contaminassent beaucoup, et qu'ils les entraînassent dans leur forte action où
était l'ordre. En ce qui le concerne lui-même, il lui tardait
de beaucoup apprendre d'eux. Ne portait-il pas, tout
comme eux, les signes et les vêtements d'un certain sens ?
Lorsqu'il les regardait, il pouvait croire qu'il était possible
d'apprendre cela : d'aller et de venir, de s'exprimer et de
se replier, de telle sorte qu'il n'y eût aucun doute.
D'immenses espoirs parcouraient son cœur. Dans cette
salle de l'hôpital de la Trinité, éclairée d'une lumière
inquiète et singulièrement indéfinie, il était assis tous les

jours à sa meilleure place et il se dressait tout fiévreux et se tendait comme un écolier. D'autres pleuraient ; mais lui était plein, à l'intérieur, de larmes étincelantes, et ne serrait que ses mains froides l'une dans l'autre pour supporter cela. Quelquefois, lorsqu'un acteur à bout de tirade sortait soudain de son grand regard, le roi levait le visage et s'effrayait : depuis combien de temps déjà était-Il là, Monseigneur Saint Michel, surgi là-haut, au bord de l'estrade, dans son armure d'argent toute miroitante ?

A de tels instants il se dressait. Il regardait autour de lui comme avant une décision. Il était tout près de comprendre la contrepartie de cette action-ci : la grande passion angoissée et profane dans laquelle il jouait. Mais tout à coup c'était passé. Tous se mouvaient de façon désordonnée. Des torches ouvertes s'avançaient sur lui, et elles jetaient en haut de la voûte des ombres informes. Des hommes qu'il ne connaissait pas le tiraillaient. Il voulait jouer : mais de sa bouche rien ne sortait, ses mouvements ne formaient pas de gestes. Les gens se serraient si singulièrement autour de lui qu'il lui semblait qu'il devait porter la croix. Et il voulut attendre qu'ils l'apportassent. Mais ils étaient plus forts, et ils le poussèrent lentement dehors.

Dehors beaucoup de choses se sont transformées. Je ne sais pas comment. Mais en dedans, et devant toi, mon Dieu, en dedans, devant toi, spectateur, ne sommes-nous pas sans action ? Nous sentons bien que nous ne savons pas le rôle, nous cherchons un miroir, vous voudrions nous défarder, renoncer à toute feinte et être véritables. Mais quelque part est encore sur nous un morceau de travestissement, que nous oublions. Une trace d'exagération demeure dans nos sourcils, nous ne remarquons pas que les commissures de nos lèvres sont repliées. Et nous allons et venons ainsi, railleurs et moitié de nous-mêmes, ni réels, ni acteurs.

C'était au théâtre d'Orange. Sans bien lever les yeux, prenant seulement conscience de la brisure rustique qui forme à présent sa façade, j'étais entré par la petite porte vitrée du gardien. Je me trouvais entre les corps de colonnes couchées et de petits althéas, mais ils ne me cachèrent que pendant un instant la coquille ouverte des gradins, qui était là, coupée par les ombres de l'après-midi, comme un énorme cadran solaire concave. J'avançais rapidement dans leur direction. Je sentais en montant entre les rangs des sièges combien je diminuais dans cet entourage. En haut, un peu plus haut, il y avait quelques visiteurs, mal répartis et curieux avec négligence. Leurs vêtements étaient désagréablement visibles, mais leurs proportions ne valaient pas qu'on s'y arrêtât. Un instant ils me regardèrent et s'étonnèrent de ma petitesse. Ce qui fit que je me retournai.

Oh, je n'étais nullement préparé. On jouait. Un drame immense, un drame surhumain se déroulait : le drame de ce puissant décor dont la structure verticale apparaissait, tripartite, résonnant de grandeur, presque écrasante, et soudain mesurée dans l'excès même de sa mesure. Je cédai à l'assaut d'un bonheur violent. Ce qui se dressait là, plein d'une ordonnance d'ombres, qui rappelait une figure, avec l'obscurité concentrée dans la bouche de son milieu, limité en haut par la coiffure aux boucles semblables de la corniche : c'était le puissant masque antique qui cache tout et derrière lequel l'univers se condense en un visage. Ici, dans ce grand hémicycle de sièges, régnait une vie d'expectative, vide et aspirante ; tout le devenir était au-delà : Dieux et Destin. Et d'au-delà venait (lorsqu'on regardait très haut), légèrement par-dessus l'arête du mur : l'éternel cortège des cieux.

Cette heure, je le comprends à présent, m'excluait pour toujours de nos théâtres. Qu'y faire ? Que faire devant une scène sur laquelle ce mur (l'iconostase des églises russes) a été abattu, parce que l'on n'a plus la force de presser à travers sa dureté l'action semblable à un gaz, qui s'échappe en gouttes d'huile, pleines et lourdes. A présent les pièces tombent par grosses miettes à travers la passoire trouée des scènes, et s'amoncellent et sont balayées lorsqu'on en a assez. C'est cette même réalité à demi crue qui traîne dans les rues et dans les maisons, sauf qu'il en est là-bas davantage qu'on n'en peut ici faire entrer dans un seul soir.

[¹ Soyons donc sincères, nous n'avons pas plus de théâtre que nous n'avons un Dieu : il y faudrait d'abord une communion. Chacun a ses idées et ses craintes particulières, et n'en laisse voir qu'autant qu'il lui est utile et qu'il lui plaît. Nous ne cessons de délayer notre faculté de comprendre, pour qu'elle suffise à nos besoins, au lieu d'appeler de nos cris le mur de notre misère commune, derrière lequel l'inconcevable aurait le temps de s'accumuler et de se tendre.]

Si nous avions un théâtre, serais-tu là, ô tragique, toujours aussi mince, aussi nue, sans aucun subterfuge, devant ceux qui contentent sur ta douleur étalée leur

---

1. Écrit en marge du manuscrit.

curiosité pressée ? Tu prévoyais déjà, ô toi si émouvante, la réalité de tes souffrances, à Vérone, alors que, presque une enfant, jouant du théâtre, tu tenais devant toi des roses, comme un masque qui te faisait une face et qui, en t'exagérant, devait te dissimuler.

Il est vrai que tu étais une enfant d'acteur, et lorsque les tiens jouaient, ils voulaient être vus. Mais toi, tu dégénéras. Pour toi cette profession devait devenir ce qu'avait été pour Mariana Alcoforado, sans qu'elle s'en doutât, le voile de religieuse : un travestissement, épais et assez durable pour qu'il fût permis d'être derrière lui malheureuse sans restriction, avec la même instante ferveur qui fait bienheureux les bienheureux invisibles. Dans toutes les villes où tu vins, ils décrivirent tes gestes ; mais ils ne comprenaient pas comment, perdant de jour en jour l'espoir, tu levais toujours un poème devant toi pour qu'il te cachât. Tu tenais tes cheveux, tes mains, ou un autre objet épais, devant les endroits translucides ; tu ternissais de ton haleine ceux qui étaient transparents ; tu te faisais petite, tu te cachais comme les enfants se cachent, et alors tu avais ce bref cri de bonheur, et tout au plus un ange aurait pu te chercher. Mais lorsque tu levais prudemment les yeux, il n'y avait pas de doute qu'ils t'eussent vus tout le temps, dans cet espace laid, creux, aux yeux innombrables : toi, toi, toi, et rien que toi.

Et tu avais envie d'étendre vers eux ton bras plié, avec ce signe du doigt qui conjure le mauvais œil. Tu avais envie de leur arracher ton visage dont ils se nourrissaient. Tu avais envie d'être toi-même. Ceux qui te donnaient la réplique sentaient tomber leur courage ; comme si on les avait enfermés avec une panthère, ils rampaient le long des coulisses et ne disaient que ce qu'il fallait pour ne pas t'irriter. Mais toi, tu les tirais en avant, tu les posais là, et tu agissais avec eux comme avec des êtres réels. Et ces portes flasques, ces rideaux trompeurs, ces objets sans revers te poussaient à la réplique. Tu sentais comme ton cœur se haussait indéfiniment, jusqu'à une réalité immense, et, effrayée, tu essayais encore une fois de détacher de toi leurs regards, comme les longs fils de la Vierge.

Mais alors ils éclataient déjà en applaudissements, par crainte du pire : comme pour détourner d'eux, au dernier moment, ce qui aurait dû les contraindre à changer leur vie.

Ceux qui sont aimés mènent une vie difficile et pleine de dangers. Ah, que ne se surmontent-ils pas pour aimer à leur tour ? Autour de celles qui aiment il n'est que sécurité. Plus personne ne les soupçonne et elles-mêmes ne sont plus capables de se trahir. En elles le secret est devenu intangible. Elles le clament tout entier comme des rossignols, et il ne se divise pas. Leur plainte ne vise qu'un seul ; mais la nature entière y joint sa voix ; c'est la plainte sur un être éternel. Elles se jettent à la poursuite de celui qu'elles ont perdu, mais dès les premiers pas, elles l'ont dépassé, et il n'y a plus devant elles que Dieu. Leur légende est celle de Byblis qui poursuit Caunos jusqu'en Lycie. La poussée de son cœur lui fit parcourir des pays innombrables sur les traces de celui qu'elle aimait, et finalement elle fut à bout de forces. Mais si forte était la mobilité de son être que lorsqu'elle s'abandonna, par-delà sa mort elle reparut en source, rapide, en source rapide.

Qu'est-il arrivé d'autre à la Portugaise, sinon qu'à l'intérieur elle est devenue source ? Quoi d'autre, à Héloïse ? Quoi d'autre, à toutes celles qui aimèrent, et dont les plaintes sont parvenues jusqu'à nous : Gaspara Stampa ; la comtesse de Die et Clara d'Anduse ; Louise Labbé, Marceline Desbordes, Élisa Mercœur ? Mais toi, pauvre Aïssé fugitive, tu hésitais déjà, et tu cédas. Lasse Julie Lespinasse ! Légende désolée du parc heureux : Marianne de Clermont.

Je me souviens encore exactement qu'un jour, il y a longtemps, je trouvai chez nous un écrin à bijoux ; il était large comme deux mains, en forme d'éventail, avec un rebord de fleurs incrustées dans le maroquin vert foncé. Je l'ouvris, il était vide : je puis dire cela à présent, après tant d'années. Mais en ce temps, lorsque je l'eus ouvert, je vis seulement en quoi consistait ce vide : en velours, en un petit mamelon de velours clair un peu défraîchi ; en la rainure du bijou qui s'y perdait, vide et plus claire d'un rien de mélancolie. Un instant cela était supportable. Mais pour celles qui ont été aimées et qui sont demeurées en arrière, tout est peut-être toujours ainsi.

Remontez en arrière dans vos journaux. N'y eut-il pas toujours autour des printemps une époque où l'année, en faisant irruption, vous atteignait, comme un reproche ? Il y avait en vous une disposition à être joyeuse, et cependant, lorsque vous sortiez dans le vide spacieux, une hésitation étrange naissait dans l'air, et votre marche devenait incertaine comme sur un bateau. Le jardin commençait ; mais vous — c'était cela — vous y entraîniez l'hiver et l'année passée ; pour vous c'était tout au plus une suite. Tandis que vous attendiez que votre âme participât à la saison, vous éprouviez soudain le poids de vos membres, et quelque chose comme la possibilité de tomber malade, pénétrait dans votre pressentiment

ouvert. Vous l'attribuiez à votre robe trop légère, vous
jetiez le châle sur vos épaules, vous couriez jusqu'au
bout de l'allée : et puis vous étiez là, le cœur battant, au
milieu du large rond-point, résolue à être d'accord avec
tout cela. Mais un oiseau chantait, et était seul, et vous
reniait. Ah, vous eussiez dû être morte !

Peut-être. Peut-être est-ce nouveau que nous surmon-
tions cela : l'année et l'amour. Les fleurs et les fruits sont
mûrs lorsqu'ils tombent. Les animaux se sentent, s'entre-
trouvent et en sont contents. Mais nous qui avons projeté
Dieu, nous ne pouvons pas finir par être prêts. Nous
remettons notre nature, nous avons encore besoin de
temps. Qu'est-ce, pour nous, qu'une année ? Que sont-
elles, toutes ? Avant même que nous ayons commencé
Dieu, nous le prions déjà : Fais-nous survivre à cette nuit.
Et puis, les maladies. Et puis, l'amour.

Que Clémence de Bourges ait dû mourir à son aurore.
Elle qui n'avait pas sa pareille ; parmi les instruments
dont elle savait jouer comme nulle autre, le plus beau,
joué de façon inoubliable, même dans le moindre son de
sa voix. Sa jeunesse était si hautement résolue qu'une
amoureuse pleine d'élan put dédier à ce cœur naissant le
livre de sonnets dans lequel chaque vers était inassouvi.
Louise Labbé ne craignit pas d'effrayer cette enfant par
les longues souffrances de l'amour. Elle lui montrait la
montée nocturne du désir et lui promettait la douleur
comme un univers agrandi ; et elle soupçonnait qu'avec sa
douleur pleine d'expérience elle était loin d'atteindre
cette attente obscure qui faisait belle cette adolescente.

Jeunes filles dans mon pays ! Que la plus belle d'entre
vous, en été, l'après-midi, dans la bibliothèque sombre,

ait trouvé le petit livre que Jean des Tournes a imprimé en
1556. Qu'elle ait emporté le petit volume lisse et rafraî-
chissant, dehors, dans le verger bourdonnant, ou de
l'autre côté, près du phlox, dans l'odeur trop douce
duquel il y a comme un résidu de sucre pur. Qu'elle l'ait
trouvé tôt. En ces jours où ses yeux commencent déjà à
prendre conscience d'elle, tandis que la bouche plus jeune
est encore capable de mordre d'une pomme des morceaux
trop gros, et d'être pleine.

Et si vient alors le temps des amitiés plus mouvemen-
tées, que ce soit votre secret de vous appeler les unes les
autres, Dika, Anactoria, Gyrinno et Atthis. Qu'un
homme plus âgé, un voisin peut-être, qui aurait beaucoup
voyagé et serait considéré déjà comme un original, vous
révèle ces noms. Qu'il vous invite quelquefois chez lui,
pour l'amour de ses pêches célèbres, ou à cause des eaux-
fortes de Ridinger sur l'équitation, là-haut dans le couloir
blanc, de ces eaux-fortes dont il est tant question qu'il
fallait bien les avoir vues. Peut-être le persuaderez-vous
de vous raconter quelque chose. Peut-être celle-là est-elle
parmi vous qui saurait le décider à chercher les vieux
cahiers de son journal de voyage. Qui sait ? La même qui
un jour réussit à se faire révéler que certains fragments de
la poésie de Sappho nous sont parvenus, et qui n'a pas de
repos jusqu'à ce qu'elle ait appris ce qui est presque un
secret, savoir : que cet homme retiré aimait à consacrer
ses loisirs à la traduction de ces morceaux. Il doit
concéder que depuis longtemps il n'y a plus pensé, et ce
qui est là, assure-t-il, ne vaut pas qu'on en parle. Mais à
présent il se sent heureux quand même, devant ses
candides amies, lorsqu'elles insistent beaucoup pour lui
faire dire une strophe. Il retrouve même au fond de sa
mémoire le texte grec, il le prononce à haute voix, parce
que la traduction, lui semble-t-il, n'en exprime pas le

meilleur, et pour montrer à cette jeunesse, par les belles brisures de cette langue, la matière massive du poème, ployée en des flammes si fortes.

Tout cela finit par animer de nouveau sa chaleur au travail. De beaux soirs presque jeunes viennent pour lui, des soirs d'automne, par exemple, qui ont devant eux beaucoup de nuit et de calme. Dans son cabinet la lumière brûle alors très tard. Il ne reste pas toujours penché sur les feuillets : il s'appuie souvent en arrière, il ferme les yeux sur telle ligne maintes fois relue, dont le sens se répand dans ses veines. Jamais il n'a été aussi certain de l'antiquité. Il est presque tenté de sourire des générations qui l'ont pleurée comme un spectacle perdu, dans lequel ils eussent volontiers joué un rôle. A présent il comprend momentanément la signification dynamique de cette précoce unité du monde, qui avait comme assumé, ensemble et d'une façon nouvelle, tout le labeur humain. Il n'est pas détourné de sa certitude par le fait que cette culture conséquente, avec ses phénomènes visibles, en quelque sorte sans lacune, semblait former un tour pour des regards postérieurs, et comme un spectacle dans son ensemble révolu. Sans doute la moitié céleste de la vie était-elle adaptée à la coupe ronde de l'existence terrestre, comme deux hémisphères forment ensemble une boule d'or intact. Mais à peine ceci fut-il accompli, que les esprits qui étaient enfermés au dedans n'éprouvèrent plus cette réalisation sans reste, que comme une parabole ; l'astre massif perdit son poids et monta dans l'espace, et dans sa voûte dorée se reflétait de loin la tristesse de tout ce qui n'était pas encore vaincu.

Tandis qu'il pense cela, le solitaire dans sa nuit, le pense et le comprend, il aperçoit une assiette de fruits sur l'accoudoir. Malgré lui il prend une pomme et la pose devant soi, sur la table. Comme ma vie flotte autour de ce fruit ! songe-t-il. Autour de tout ce qui est parfait, monte et s'exhale ce qui reste encore à accomplir.

Et alors, de l'inachevé surgit, presque trop vite, cette petite figure, tendue par-delà l'infini, à laquelle, au témoignage de Galien, tous pensaient lorsqu'ils disaient : la poétesse. Car de même que derrière les œuvres d'Hercule le monde se dressait et demandait à être détruit et reconstruit, de même se pressaient hors des réserves de l'être, vers les actes de son cœur, pour être vécus, les bonheurs et les désespoirs dont les temps doivent se contenter.

Il connaît tout à coup ce cœur résolu qui était prêt à s'acquitter de tout l'amour, jusqu'à la fin. Il ne s'étonne pas qu'on l'ait méconnu ; que l'on n'ait vu que l'excès de cette aimante à tout jamais future, et non une nouvelle unité de mesure, d'amour et de détresse. Que l'on ait interprété la légende de sa vie comme elle avait été par hasard admise à cette époque-là, qu'enfin on lui ait attribué la mort de celles que le Dieu excite seules, à aimer hors d'elles-mêmes, sans réponse. Peut-être, même parmi les amies qu'elle avait formées, y en avait-il qui ne comprenaient pas : qu'au comble de son action elle se lamentait non sur un seul qui laissa vides ses bras ouverts mais sur celui, désormais impossible, qui avait été assez grand pour son amour.

Ici l'homme qui songe, se lève et va à la fenêtre. Les murs de sa chambre haute sont trop proches, il voudrait voir les étoiles, si c'est possible. Il ne se trompe pas sur lui-même. Il sait que ce mouvement l'anime parce que, parmi les jeunes filles du voisinage, est celle qui le regarde. Il a des vœux, non pour lui, mais pour elle ; pour elle il comprend, durant une heure nocturne qui passe, l'exigence de l'amour. Il se promet de ne rien lui en dire.

Il lui semble que tout ce qu'il peut faire c'est d'être seul et éveillé, et de penser à propos d'elle combien cette aimante avait raison : lorsqu'elle savait que la réunion de deux êtres ne faisait qu'accroître la solitude ; lorsqu'elle dépassait la fin terrestre du sexe par son dessein infini, lorsque, dans l'obscurité des étreintes, elle ne cherchait pas le contentement, mais encore le désir, lorsqu'elle méprisait que, de deux êtres, l'un fût l'aimé, et l'autre l'aimant, et lorsque les faibles aimées qu'elle menait à sa couche, en sortaient, fortes d'amour et prêtes à la quitter.

Par ces adieux suprêmes, son cœur devenait une force de la nature. Au-dessus du destin elle chantait à ses plus récentes aimées leurs épithalames ; elle magnifiait leurs noces ; elle exagérait leur époux proche, afin qu'elles fissent un effort sur elles-mêmes, pour lui comme à l'égard d'un Dieu, et qu'elles surmontassent la splendeur de l'époux.

Encore une fois, Abelone, dans ces dernières années je t'ai sentie et je t'ai comprise de façon inespérée, après que longtemps je n'avais plus pensé à toi.

C'était à Venise, en automne, dans un de ces salons où des étrangers se rencontrent passagèrement autour d'une maîtresse de maison étrangère comme eux-mêmes. Ces gens sont debout, ici et là, avec leurs tasses de thé, et sont enchantés lorsqu'un voisin renseigné les tourne vite et discrètement vers la porte pour leur chuchoter un nom qui a un son vénitien. Ils s'attendent aux noms les plus extravagants, rien ne peut les surprendre ; car si économes qu'ils soient d'ordinaire de leur existence, ils s'abandonnent dans cette ville avec nonchalance aux possibilités les plus exagérées. Dans leur vie courante ils confondent constamment l'extraordinaire avec ce qui est interdit. de sorte que l'attente du merveilleux qu'ils s'accordent à présent. apparaît dans leurs visages comme une expression grossière de licence déréglée. Ce qui ne leur arrive chez eux que momentanément, à l'occasion de concerts, ou lorsqu'ils sont seuls avec un roman, ils le laissent apparaître comme un état d'esprit légitime dans ces circonstances caressantes De même que, de façon très inattendue, ne comprenant aucun danger, ils se laissent exciter par les aveux presque mortels de la musique, comme par des indiscrétions physiques, de même ils se livrent, sans le moins du monde surmonter l'existence de Venise, à la pâmoison facile et profitable des gondoles. Des époux qui ne sont plus jeunes, qui durant tout le voyage n'ont eu l'un pour l'autre que des répliques haineuses, s'accordent en silence ; le mari se sent agréablement las de tous ses idéaux. tandis qu'elle se trouve jeune et fait aux indigènes paresseux un signe de tête encourageant, avec un sourire comme si elle avait des dents en sucre qui fondent constamment. Et si on l'écoute par hasard. on apprend qu'ils repartiront demain, ou après-demain, ou à la fin de la semaine.

J'étais donc là, au milieu d'eux, et me réjouissais de ne pas devoir partir. Bientôt il ferait froid. Cette Venise molle et opiacée de leurs préjugés et de leurs besoins disparaît avec ces étrangers somnolents. et. un matin, l'autre Venise est là. réelle, lucide, cassante comme du verre, nullement issue de rêves : cette Venise voulue dans le néant sur des forêts coulées à fond, créée de force, et enfin parvenue à ce degré d'existence Ce corps endurci, réduit au plus nécessaire. à travers lequel l'arsenal qui ne dort jamais chasse le sang de son travail ; et l'esprit insinuant de ce corps qui sans cesse élargit son domaine, cet esprit plus fort que le parfum de pays aromatiques.

L'État inventif qui échangeait le sel et le verre de sa pauvreté contre les trésors des peuples. Le beau contrepoids du monde qui, jusque dans ses ornements, est plein d'énergies latentes qui se ramifiaient toujours plus finement : Venise. La conscience que je connaissais cette ville s'emparait de moi, et, au milieu de ces gens qui voulaient se tromper, m'animait d'un tel besoin d'opposition que je levai les yeux pour en parler n'importe comment. Était-il possible qu'il n'y eût, dans ces salles, personne qui, involontairement, attendît d'être éclairé sur l'essence de ce milieu ? Un jeune homme qui comprendrait aussitôt que ce qui était proposé là n'était pas une jouissance, mais un exemple de volonté, tel qu'on n'en pourrait trouver nulle part de plus exigeant et de plus sévère ? J'allais et venais, ma vérité me faisait inquiet. Comme elle s'était emparée de moi parmi tant de monde, elle apportait avec elle le désir d'être exprimée, défendue, démontrée. La représentation grotesque se forma en moi que dans un instant j'allais réclamer le silence en frappant dans les mains, par haine contre ce malentendu délayé dans toutes leurs paroles.

Dans cet état d'esprit ridicule, je l'aperçus. Elle était debout, seule, devant une fenêtre lumineuse, et m'observait : non pas précisément par ses yeux qui étaient sévères et pensifs, mais, eût-on dit, par sa bouche qui imitait ironiquement l'expression apparemment irritée de mon visage. Je sentis aussitôt la tension impatiente de mes traits et pris un visage indifférent, après quoi sa bouche devint naturelle et hautaine. Puis, après un instant de réflexion, simultanément, nous nous sourîmes l'un à l'autre.

Elle rappelait, si l'on veut, un certain portrait de jeunesse de la belle Bénédicte de Qualen qui joue un rôle dans la vie de Baggesen. On ne pouvait voir le calme obscurci de ses yeux, sans soupçonner la claire obscurité de sa voix. D'ailleurs la natte de ses cheveux et le décolleté de sa robe claire étaient si bien de Copenhague, que j'étais décidé à l'aborder en danois. Je n'étais pas encore assez près d'elle, lorsque, de l'autre côté, un courant s'avança ; notre exubérante comtesse elle-même, dans sa distraction chaude et toujours enthousiaste, se précipitait sur la jeune fille, avec le concours de tous ses invités, pour la séquestrer aussitôt et lui demander de chanter. J'étais certain que la jeune fille s'excuserait en disant que personne dans la compagnie ne pouvait désirer d'entendre chanter en danois. Ce qu'elle dit en effet, lorsqu'on lui permit de répondre. La foule, autour de la forme claire, devenait plus animée ; chacun savait qu'elle chantait aussi en allemand. « Et en italien », ajouta une voix en riant avec une conviction malicieuse. Je ne voyais pas d'excuse que j'aurais pu lui prêter en pensée. Mais je ne doutais pas qu'elle ne dût résister. Déjà une expression de sécheresse mortifiée se répandait sur les visages fatigués par des sourires trop prolongés, déjà la bonne comtesse, pour ne pas s'abaisser, reculait d'un pas, avec un air de pitié et de dignité ; et c'est alors — lorsque ce n'était plus du tout nécessaire — qu'elle céda. Je me sentis pâlir de déception ; mon regard s'emplit de reproche, mais je me détournai, il était inutile de lui laisser voir cela. Alors elle se détacha de tous les autres et fut tout à coup à côté de moi. Sa robe m'éclairait, l'odeur fleurie de sa chaleur était autour de moi.

« Je veux vraiment chanter ; dit-elle en danois le long de ma joue, non pas parce qu'ils le demandent, non pas pour l'apparence, mais parce que j'ai vraiment besoin en ce moment de chanter. »

Dans ces mots éclatait la même intolérance irritée dont elle venait de me délivrer. Je suivis lentement le groupe

avec lequel elle s'éloignait. Mais près d'une haute porte,
je restai en arrière et laissai les hommes se déplacer et se
ranger. Je m'appuyai contre l'intérieur noir et miroitant
de la porte, et j'attendis. Quelqu'un me demanda ce qui
se préparait et si l'on allait chanter. Je prétendis n'en rien
savoir. Tandis que je mentais, elle chantait déjà.

Je ne pouvais pas la voir. L'espace s'élargissait peu à
peu autour d'une de ces chansons italiennes que les
étrangers tiennent pour authentiques parce qu'elles reposent sur une convention si apparente. Elle qui la chantait
n'y croyait pas. Elle la levait avec peine, elle faisait trop
d'efforts. Par les applaudissements qui éclatèrent en
avant, on pouvait apprendre que c'était fini. J'étais
triste et honteux. Il y eut un peu de mouvement, et je
décidai de me joindre aux prochaines personnes qui
s'en iraient. Mais alors il y eut tout à coup un silence.
Un silence se fit que personne encore n'avait cru possible ; il durait, il se tendait, et à présent en lui s'élevait la
voix. (Abelone, songeai-je ; Abelone.) Cette fois elle
était forte, pleine, et cependant n'était pas lourde ; d'une
seule pièce, sans rupture, sans couture. C'était une
chanson allemande, inconnue. Elle la chantait avec une
simplicité singulière comme une chose nécessaire. Elle
chantait :

> *Toi, à qui je ne confie pas*
> *mes longues nuits sans repos,*
> *Toi qui me rends si tendrement las*
> *me berçant comme un berceau :*
> *Toi qui me caches tes insomnies,*
> *dis, si nous supportions*
> *cette soif qui nous magnifie,*
> *sans abandon ?*

(Une courte pause, et en hésitant) :

> *Car rappelle-toi les amants,*
> *comme le mensonge les surprend*
> *à l'heure des confessions.*

De nouveau le silence. Dieu sait qui le faisait tel. Et puis les gens remuaient, se poussaient les uns les autres, s'excusaient, toussotaient. Déjà ils allaient passer à un brouhaha général qui effaçait tout, lorsque soudain la voix éclata, résolue, large et d'une seule poussée :

> *Toi seule, tu fais partie de ma solitude pure.*
> *Tu te transformes en tout : tu es ce murmure*
> *ou ce parfum aérien.*
> *Entre mes bras : quel abîme qui s'abreuve de pertes.*
> *Ils ne t'ont point retenue, et c'est grâce à cela, certes,*
> *qu'à jamais je te tiens*[1].

Personne n'avait attendu cela. Tous étaient comme courbés sous cette voix. Et, à la fin il y avait en elle une sécurité si forte que l'on eût dit qu'elle savait depuis des années qu'en cet instant elle devrait chanter.

Quelquefois je m'étais demandé déjà pourquoi Abelone ne tournait pas vers Dieu les calories de son grand sentiment. Je sais qu'elle tendait à enlever à son amour tout caractère transitif, mais son cœur véridique pouvait-il s'y tromper et ne savait-elle pas que Dieu n'était qu'une direction donnée à l'amour, non pas son objet ? Ne savait-elle pas qu'elle n'avait à craindre de sa part aucune réponse ? Ne connaissait-elle pas la retenue de cet amant supérieur qui retarde tranquillement le plaisir, pour nous

---

1 La traduction de ce poème est de Rilke.

permettre, à nous si lents, de montrer et développer notre
cœur tout entier ? Ou bien voulait-elle éviter le Christ ?
Redoutait-elle d'être retenue par lui, à mi-chemin, et, à
son contact, de devenir l'aimée ? Est-ce pour cela qu'elle
n'aimait pas à penser à Julie Reventlow ? Je serais
presque tenté de le croire, lorsque je songe qu'ont pu
s'abandonner à cette subite facilité de Dieu, une aimante
aussi simple que Mechthild, une aimante fougueuse
comme Thérèse d'Avila, une aimante blessée comme la
bienheureuse Rose de Lima. Ah, celui qui pour les faibles
était secourable était une injustice assez forte ; alors que
déjà elles n'attendaient plus rien que le chemin infini,
encore une fois dans le ciel plein d'attente elles rencontrent une forme palpable qui les gâte par son accueil et les
trouble par sa virilité. Le foyer de son cœur rassemble
encore une fois les rayons parallèles de leurs cœurs, et
elles que les anges espéraient déjà présenter intactes à
Dieu, prennent tout à coup flamme et se consument, dans
la sécheresse de leur désir.

[[1]Être aimée veut dire se consumer dans la flamme.
Aimer c'est rayonner d'une lumière inépuisable. Être
aimée c'est passer, aimer c'est durer.]

Il est cependant possible qu'Abelone, plus tard, ait
essayé de penser avec son cœur, pour, insensiblement et
sans intermédiaire, entrer en rapport avec Dieu. Je
pourrais imaginer qu'il y a des lettres d'elle qui rappellent
l'attentive contemplation intérieure de la princesse Amé-
lie Galitzine. Mais si ces lettres étaient adressées à
quelqu'un qui fut longtemps son proche, combien celui-ci
a-t-il dû souffrir de cette transformation ! Et elle-même :
je soupçonne qu'elle-même ne craignait rien autant que
cette transformation spectrale et ignorée dont on perd

1. Écrit en marge du manuscrit.

constamment toutes les preuves parce qu'on ne les
reconnaît pas.

On aura peine à me persuader que l'histoire de l'enfant
prodigue ne soit pas la légende de celui qui ne voulait pas
être aimé. Tant qu'il était un enfant, tous l'aimaient chez
lui. Il grandit, il ne connaissait pas autre chose et
s'habitua à leur tendresse douillette, tant qu'il était
enfant. Mais lorsqu'il fut adolescent il voulut se défaire de
ces habitudes. Il n'aurait pu le dire, mais lorsqu'il rôdait
dehors toute la journée et ne voulait même plus avoir les
chiens avec lui, c'était parce qu'eux aussi l'aimaient ;
parce que leurs yeux l'observaient, et prenaient part,
attendaient et s'inquiétaient ; parce que, devant eux non
plus, on ne pouvait rien faire sans réjouir ou blesser. Mais
ce qu'il souhaitait alors, c'était cette indifférence intime
de son cœur, qui, tôt le matin, dans les champs, le
saisissait avec une telle pureté qu'il commençait à courir,
pour n'avoir ni temps ni haleine, pour n'être plus qu'un
léger instant du matin qui prend conscience de soi.

Le secret de sa vie, qui n'avait encore jamais été,
s'étendait devant lui. Involontairement il quittait le
sentier et courait plus loin, à travers champs, les bras
étendus, comme si dans cette largeur il avait pu s'empa-
rer de plusieurs directions à la fois. Et puis, il se jetait
n'importe où, derrière un buisson, et il n'avait de valeur
pour personne. Il écorçait une flûte de saule, il lançait un
caillou dans la direction d'un petit fauve, il se penchait en
avant et obligeait un scarabée à faire demi-tour : tout cela
ne devenait pas du destin et les cieux passaient au-dessus
de lui comme sur la nature. Enfin venait l'après-midi,
avec toutes ses inventions ; on était un boucanier sur l'île

Tortuga et on n'avait aucune obligation à l'être ; on assiégeait Campêche, on prenait d'assaut Vera-Cruz ; on pouvait être l'armée entière, ou un chef à cheval, ou un bateau sur la mer : selon l'humeur qui vous animait. Mais si l'envie de vous agenouiller vous prenait, on était aussitôt Deodat de Gozon, et l'on avait abattu le dragon, et l'on apprenait que cet héroïsme était de l'orgueil, sans obéissance. Car on n'épargnait rien de ce qui faisait partie du jeu. Mais quel que fût le nombre des imaginations qui surgissaient, on avait cependant toujours encore le temps de n'être qu'un oiseau, on ne savait lequel. Sauf qu'après il y avait le retour.

Mon Dieu, de quoi fallait-il alors se dépouiller, et combien de choses oublier ? Car il fallait oublier pour de vrai, c'était nécessaire ; sinon, on se serait trahi lorsqu'ils insistaient. On avait beau hésiter et se retourner, le pignon de la maison enfin apparaissait quand même. La première fenêtre, là-haut, vous tenait sous son regard, quelqu'un peut-être y était. Les chiens, chez qui l'attente s'était accrue toute la journée durant, traversaient les buissons et vous ramenaient à celui qu'ils croyaient reconnaître en vous. Et la maison faisait le reste. Il suffisait d'entrer à présent dans son odeur pleine, et déjà presque tout était décidé. Des détails pouvaient être modifiés ; en gros on était déjà celui pour lequel ils vous tenaient ici ; celui à qui ils avaient depuis longtemps composé une existence, faite de son petit passé et de leurs propres désirs ; cet être de communauté qui jour et nuit était placé sous la suggestion de leur amour, entre leur espoir et leur soupçon, devant leur blâme ou leur approbation.

A un tel être il ne sert de rien de monter l'escalier avec d'infinies précautions. Tous seront au salon, et il suffit que la porte s'ouvre pour qu'ils regardent tous dans sa direction. Il reste dans l'obscurité, il veut attendre leurs questions. Mais alors vient le pire. Ils lui prennent les mains, ils le tirent vers la table, et tous, autant qu'ils sont, s'avancent curieusement devant la lampe. Ils ont beau jeu, ils se tiennent à contre-jour, et sur lui seul tombe, avec la lumière, toute la honte d'avoir un visage.

Restera-t-il et mentira-t-il cette vie d'à peu près qu'ils lui attribuent, et parviendra-t-il à leur ressembler de tout son visage ? Se partagera-t-il entre la véracité délicate de sa volonté et la tromperie grossière qui la corrompt pour lui-même ? Renoncera-t-il à devenir ce qui pourrait nuire à ceux de sa famille qui n'ont plus qu'un cœur faible ?

Non, il partira. Par exemple lorsqu'ils sont tous occupés à lui préparer sa table d'anniversaire, avec ces cadeaux mal devinés qui doivent encore une fois tout compenser. Partir pour toujours. Beaucoup plus tard seulement il se rappellera avec quelle fermeté il avait alors décidé de ne jamais aimer, pour ne placer personne dans cette situation atroce d'être aimé. Des années plus tard il s'en souvient et comme les autres projets, celui-là aussi a été irréalisable. Car il a aimé et encore aimé dans sa solitude ; chaque fois en gaspillant toute sa nature, et dans une crainte terrible pour la liberté de l'autre. Il a lentement appris à faire passer les rayons de son sentiment à travers l'objet aimé, au lieu de l'en consumer. Et il était gâté par l'enchantement de reconnaître, à travers la forme de plus en plus transparente de l'aimée, les profondeurs qui s'ouvraient devant sa volonté de possession infinie.

Combien pouvait alors le faire pleurer, des nuits durant, le désir d'être lui-même traversé par de tels rayons ! Mais une femme aimée qui cède, n'est de longtemps pas encore une femme qui aime. Oh, nuits sans consolations, qui lui rendaient ses dons en morceaux

lourds d'éphémère. Comme il pensait alors aux trouba-
dours qui ne craignaient rien tant que d'être exaucés ' Il
donnait tout l'argent acquis et multiplié pour ne plus
recommencer cette expérience. Il les blessait en les
payant grossièrement, par crainte de plus en plus grande
qu'elles ne pussent essayer de répondre à son amour. Car
il avait perdu l'espoir de connaître l'aimante qui le
traverserait.

Même aux temps où la pauvreté l'effrayait tous les
jours par de nouvelles duretés, où sa tête était l'objet
préféré de la misère, et tout usée par elle, où partout sur
son corps s'ouvraient des ulcères comme des yeux de
secours contre la noirceur de ses tribulations et où il
frémissait d'horreur devant les immondices sur lesquelles
on l'avait abandonné parce qu'il était pareil à ces ordures : même alors encore, lorsqu'il réfléchissait, sa plus
grande terreur était qu'on lui eût répondu. Qu'étaient
toutes ces obscurités, auprès de l'épaisse tristesse de ces
étreintes dans lesquelles tout se perdait ? Ne se réveillait-
on pas avec le sentiment d'être sans avenir ? N'allait-on
pas, par-ci et par-là, dépourvu de signification, sans avoir
droit à aucun danger ? N'avait-on pas dû promettre cent
fois de ne pas mourir ? Peut-être l'entêtement de ce
mauvais souvenir qui de retour en retour voulait se
conserver une place, faisait-il durer sa vie parmi les
ordures. Enfin on retrouvait de nouveau ce sentiment de
liberté. Et alors seulement, durant les années que l'on
resta pâtre, ce passé nombreux s'apaisa.

Qui décrira ce qui lui arriva alors, quel poète a le don
de persuasion capable d'accorder la longueur de ses jours
d'alors avec la brièveté de la vie ? Quel art est assez vaste
pour savoir évoquer en même temps cette forme mince
sous son manteau, et toute l'abondance d'espace de ces
nuits immenses ?

C'était le temps où il commença à se sentir une chose dans l'univers, et anonyme comme un convalescent qui hésite. Il n'aimait pas, sauf cependant qu'il aimait à être. L'affection basse de ses brebis ne lui pesait pas. Comme une lumière tombe à travers les nuages elle se répandait autour de lui et brillait doucement sur les prés. Sur la trace innocente de leur faim il marchait silencieux à travers les pâturages du monde. Des étrangers le virent sur l'Acropole, et peut-être fut-il longtemps un des pâtres dans les Baux, et vit-il le temps pétrifié survivre à la haute race qui eut beau acquérir tant de sept et de trois sans triompher des seize rayons de son étoile. Ou dois-je l'imaginer à Orange, appuyé à l'arc de triomphe rustique ? Dois-je le voir dans l'ombre familière aux âmes des Alyscamps, tandis que son regard, entre les tombeaux qui sont ouverts comme les tombeaux de ressuscités, poursuit une libellule ?

N'importe, je vois au-delà de lui, je vois son existence qui aborda alors le long amour vers Dieu, le long travail silencieux et sans but, car lui qui avait voulu se contenir pour toujours fut encore une fois dominé par la nécessité intime de son cœur qui ne pouvait pas autrement. Et cette fois il espéra être exaucé. Sa nature, à laquelle la longue solitude avait prêté une divination imperturbable, lui promit que celui-là auquel il pensait à présent, saurait aimer d'un amour qui rayonne et qui transperce. Mais tandis qu'il désirait d'être ainsi aimé, avec une telle maîtrise, son sentiment habitué aux longues distances comprenait l'extrême éloignement de Dieu. Vinrent des nuits où il crut s'élancer vers Dieu, à travers l'espace ; des heures pleines de découvertes, durant lesquelles il se sentait assez fort pour replonger vers la terre, et l'enlever, l'emporter sur les hautes marées de son cœur. Il était pareil à un homme qui entend une langue merveilleuse, et fiévreusement se propose d'écrire dans cette langue. La frayeur l'attendait encore d'apprendre combien difficile elle était. Il ne voulut d'abord pas croire qu'une vie entière pût se passer à former les phrases des premiers exercices qui n'ont pas de sens. Il se jeta dans l'apprentissage comme un coureur dans la course. Mais l'épaisseur de ce qu'il fallait surmonter le ralentissait. On ne pouvait rien imaginer de plus humiliant que ce début. Il avait trouvé la pierre philosophale et voici qu'on le contraignait à changer sans cesse l'or rapidement produit de son bonheur, en le plomb grossier de la patience. Lui qui s'était adapté à l'espace, forait comme un ver des couloirs tortueux sans issue ni direction. A présent qu'il apprenait à aimer avec tant de peine et de chagrin, il lui apparaissait combien négligent et misérable avait été jusqu'à présent tout l'amour qu'il croyait accomplir. Et il comprenait qu'aucun de ses sentiments n'avait pu se développer parce qu'il n'avait pas commencé à y consacrer le travail nécessaire pour le réaliser.

En ces années les grands changements s'opérèrent en lui. Le dur travail de se rapprocher de Dieu lui fit presque oublier Dieu lui-même, et tout ce qu'il espérait peut-être à la longue obtenir de lui, était « sa patience de supporter une âme ». Il s'était depuis longtemps détaché des hasards du destin, auxquels tiennent les hommes, mais à présent même les plaisirs et la douleur nécessaires perdaient leur arrière-goût épicé et devenaient pour lui purs et nourrissants. Des racines de son être jaillissait la plante forte et vivace d'une joie féconde. Il s'épuisait à s'assimiler ce qui faisait sa vie intérieure, il ne voulait rien omettre, car il ne doutait pas que son amour fût et s'accrût en tout. Oui, sa tranquillité d'âme allait si loin qu'il décida de rattraper le plus important de ce qu'il n'avait su accomplir autrefois, de ce qu'il avait laissé passer dans l'attente. Il pensait surtout à l'enfance, plus il réfléchissait avec calme, plus elle lui paraissait inachevée. Tous ses souvenirs avaient le vague des pressentiments, et qu'ils fussent passés les faisait presque ressortir à l'avenir. Et c'est pour assumer encore, et cette fois vraiment, tout ce passé, que, devenu étranger, il retourna chez lui. Nous ne savons pas s'il resta ; nous savons seulement qu'il revint.

Ceux qui ont raconté cette histoire, essayent, parvenus à ce point, de nous rappeler la maison telle qu'elle était ; car là il ne s'est écoulé que peu de temps, un peu de temps compté, tout le monde dans la maison peut dire combien. Les chiens ont vieilli, mais vivent encore. On rapporte que l'un d'eux poussa un hurlement. Tout le labeur quotidien s'interrompt. Des visages apparaissent aux fenêtres, des visages vieillis et mûris, d'une ressemblance touchante. Et l'un des visages, l'un des plus vieux, tout à coup pâle, reconnaît. Il reconnaît ? Vraiment ne fait-il que reconnaître ? — Il pardonne. Pardonne quoi ? — Mais non : l'amour. Mon Dieu ; l'amour.

Lui que l'on a reconnu, il n'y pensait même plus, tout occupé qu'il était : il ne pensait même plus que l'amour pût encore être. Il est explicable que de tout ce qui arriva alors on ne nous ait transmis que ceci : son geste, le geste inouï que l'on n'avait jamais vu auparavant ; le geste de supplication avec lequel il se jeta à leurs pieds, les conjurant de ne pas l'aimer. Effrayés et chancelants, ils le relevèrent. Ils interprétèrent son élan à leur manière en lui pardonnant. Il a dû se sentir singulièrement rassuré que tous, malgré l'évidence désespérée de son attitude, se soient mépris. Il put probablement rester. Car de jour en jour il reconnut davantage que l'amour dont ils étaient si vaniteux et auquel ils s'encourageaient en secret les uns les autres, ne le concernait pas. Il avait presque envie de sourire lorsqu'ils s'efforçaient, et il devenait clair combien peu ils pouvaient penser à lui.

Que savaient-ils de lui ? C'était maintenant terriblement difficile d'aimer, et il sentait qu'un seul en serait capable. Mais celui-là ne voulait pas encore.

Mozart concerto 21 c Major -

IMP. BUSSIÈRE A SAINT-AMAND (11-82).
D.L. 1er TRIM. 1980. No 5475-3 (2783).